SOUPES ET HORS-D'OEUVRE

Les compagnies canadiennes suivantes ont participé à la production de cette collection: Colour Technologies, Fred Bird & Associates Limited, Gordon Sibley Design Inc., On-line Graphics, Les Éditions Télémédia Inc. et The Madison Book Group Inc.

Nous remercions pour leur contribution Drew Warner, Joie Warner et Flavor Publications.

Cette collection est une production de:
The Madison Book Group Inc.
40 Madison Avenue
Toronto, Ontario
Canada
M5R 2S1

SOUPES ET HORS-D'OEUVRE

■ *Couverture: Soupe aux boulettes ranchero (p. 12).*

Les soupes figurent parmi les plats les plus simples à préparer et aussi les plus variés. Ce livre vous offre plus de 35 recettes de soupes de tous genres. Des soupes consistantes et réconfortantes, pouvant tenir lieu de repas, pour le lunch ou un souper léger, comme la *Soupe aux boulettes ranchero*, la *Soupe à l'oignon* et la *Soupe au saucisson et aux haricots*; des soupes légères et rafraîchissantes comme la *Soupe aux fraises*, la *Soupe au babeurre servie dans des poivrons* et la *Soupe aux concombres et au yogourt*.

Si vous êtes amateur de hors-d'oeuvre, vous n'aurez que l'embarras du choix avec des plats tels que la *Trempette étagée à la mexicaine*, les *Crevettes farcies* et la *Bruschetta au poivron rouge* dont tous se délecteront.

Soupes et hors-d'oeuvre est un des huit livres de la COLLECTION CULINAIRE COUP DE POUCE. Chaque livre présente des plats faciles et savoureux que vous ne vous lasserez pas de cuisiner. Toutes les recettes de la collection ont été sélectionnées et expérimentées avec soin pour vous assurer des résultats parfaits en tout temps. En collectionnant les huit livres, vous pourrez choisir parmi plus de 500 plats ceux qui, jour après jour, donneront un air de fête à tous vos repas.

Carole Schinck

Carole Schinck
Rédactrice en chef, *Coup de pouce*

Soupe au saucisson et aux haricots

Au lieu d'utiliser la méthode de trempage rapide donnée dans la recette, vous pouvez faire tremper les haricots dans de l'eau pendant 8 heures ou pendant toute une nuit, les égoutter en jetant l'eau, les rincer et les égoutter de nouveau.

2 t	**haricots Great Northern (1 lb/500 g)**	**500 ml**
1/4 lb	**bacon (en un morceau)**	**125 g**
3 c. à tab	**huile d'olive**	**45 ml**
2	**gros oignons, hachés**	**2**
3	**gousses d'ail, hachées**	**3**
1	**branche de céleri, hachée**	**1**
1	**carotte, en dés**	**1**
6 t	**eau**	**1,5 L**
2	**feuilles de laurier**	**2**
1 1/2 c. à thé	**paprika**	**7 ml**
1/2 c. à thé	**coriandre moulue**	**2 ml**
1/2 c. à thé	**thym séché**	**2 ml**
1/4 c. à thé	**marjolaine séchée**	**1 ml**
	Une pincée de safran	
1	**boîte (14 oz/398 ml) de tomates**	**1**
1/4 lb	**prosciutto (en un morceau)**	**125 g**
1/2 lb	**chorizo sec ou pepperoni**	**250 g**
	Sel et poivre	
1/2 t	**persil frais haché**	**125 ml**
	Croûtons à l'ail (voir recette)	

■ Pour faire tremper rapidement les haricots, les couvrir de trois fois leur volume d'eau froide; amener à ébullition et laisser mijoter pendant 2 minutes. Retirer du feu, couvrir et laisser reposer pendant 1 heure. Égoutter en jetant l'eau de trempage, rincer et égoutter de nouveau.

■ Couper le bacon en dés de 1/2 po (1 cm). Dans une grande casserole, faire chauffer l'huile à feu moyen-vif. Y cuire le bacon en brassant pendant 5 à 7 minutes ou jusqu'à ce qu'il soit légèrement doré. À l'aide d'une écumoire, mettre les dés de bacon dans un bol. Jeter le gras en en laissant environ 3 c. à table (45 ml) dans la casserole. Y cuire les oignons, l'ail, le céleri et la carotte pendant 5 à 7 minutes ou jusqu'à ce qu'ils soient tendres. Ajouter le bacon, les haricots, l'eau, les feuilles de laurier, le paprika, la coriandre, le thym, la marjolaine et le safran. Amener à ébullition. Réduire le feu à moyen-doux, couvrir et laisser mijoter pendant 1 heure ou jusqu'à ce que les haricots soient tendres.

■ Couper les tomates en bouchées et les ajouter à la soupe. Couper le prosciutto en petits dés, émincer le chorizo et les ajouter à la soupe. Laisser mijoter à découvert pendant 10 minutes. Enlever les feuilles de laurier. Saler et poivrer. Parsemer chaque portion de persil haché et garnir de croûtons à l'ail. Donne 6 portions.

CROÛTONS À L'AIL

5	**tranches de pain**	**5**
1 c. à tab	**huile d'olive**	**15 ml**
3	**gousses d'ail, hachées**	**3**

■ Enlever les croûtes des tranches de pain et couper celles-ci en dés de 1/2 po (1 cm). Dans un poêlon, faire chauffer l'huile à feu moyen. Y cuire l'ail et les dés de pain en brassant souvent pendant 3 à 5 minutes ou jusqu'à ce que les croûtons soient croustillants et dorés. Égoutter sur des essuie-tout.

Soupe aux pommes de terre et à la courge avec toasts aux noix et au gruyère

Servez ce potage dans des assiettes à soupe et garnissez chaque portion d'un toast aux noix et au gruyère.

2 c. à tab	beurre	30 ml
1 t	oignons finement hachés	250 ml
3 t	pommes de terre pelées, en dés	750 ml
3 t	courge "butternut" pelée, en dés	750 ml
4 t	bouillon de poulet	1 L
1 t	épinards en fines lanières	250 ml
1/4 t	oignons verts émincés (partie verte seulement)	60 ml
3/4 c. à thé	vinaigre de cidre	4 ml
	Sel et poivre	
	TOASTS AUX NOIX ET AU GRUYÈRE	
6	tranches de pain français ou italien	6
2 t	gruyère râpé	500 ml
1/3 t	parmesan frais râpé	75 ml
1/4 t	noix de Grenoble finement hachées	60 ml
6	demi-noix de Grenoble (facultatif)	6

■ Dans une grande casserole, faire fondre le beurre à feu doux. Y cuire les oignons à couvert pendant 3 à 5 minutes ou jusqu'à ce qu'ils soient tendres. Ajouter les dés de pommes de terre et de courge et brasser pour bien les enrober de beurre.

■ Verser le bouillon dans la casserole, couvrir et amener à ébullition à feu vif. Réduire le feu et laisser mijoter pendant environ 30 minutes ou jusqu'à ce que les légumes soient tendres. Retirer du feu. Écraser légèrement les légumes pour épaissir la soupe, mais ne pas réduire en purée. Ajouter les épinards, les oignons verts, le vinaigre, du sel et du poivre.

■ **Toasts aux noix et au gruyère:** Pendant la cuisson des légumes, faire griller le pain au four, à environ 4 po (10 cm) de la source de chaleur, sur un côté seulement. Retourner les tranches de pain, parsemer du gruyère, du parmesan et des noix. Remettre au four jusqu'à ce que le fromage soit bouillonnant et les noix rôties.

■ Servir la soupe dans de grands bols peu profonds. Déposer un toast dans chacun et garnir, si désiré, d'une demi-noix. Donne 6 portions.

Soupe aux poivrons jaunes et purée de poivron rouge

Cette soupe est facile à préparer et est idéale pour une réception. Si vous réduisez la soupe en purée avec un moulin à légumes, vous n'aurez pas à peler les poivrons. (Pour rôtir et peler les poivrons, voir l'encadré ci-contre.)

2 c. à tab	**beurre**	**30 ml**
1	**oignon, haché**	**1**
1	**gousse d'ail, hachée**	**1**
4	**poivrons jaunes, pelés, en dés**	**4**
2 c. à tab	**farine**	**30 ml**
2 t	**bouillon de poulet**	**500 ml**
1/2 t	**crème à 35% (facultatif)**	**125 ml**
	Sel et poivre	
	Purée de poivron rouge (voir recette)	
	Basilic frais	

■ Dans une casserole, faire fondre le beurre à feu moyen. Y cuire l'origan et l'ail pendant 3 à 4 minutes ou jusqu'à ce qu'ils soient tendres mais non dorés. Ajouter les poivrons jaunes et cuire pendant 5 à 8 minutes ou jusqu'à ce que le mélange soit odorant et les poivrons ramollis. Incorporer la farine et cuire, sans faire brunir, pendant 4 minutes.

■ Ajouter le bouillon de poulet et amener à ébullition. Baisser le feu et laisser mijoter pendant 20 minutes. À l'aide du robot culinaire ou du mélangeur, réduire la préparation en crème. *(La soupe peut être préparée d'avance jusqu'à cette étape et conservée au réfrigérateur jusqu'à 2 jours.)*

■ Remettre le potage dans la casserole. Incorporer la crème, si désiré, et réchauffer, mais ne pas faire bouillir. Saler et poivrer.

■ Servir dans des assiettes à soupe et garnir de quelques cuillerées de purée de poivron rouge en leur donnant la forme de volutes. Décorer de basilic frais. Donne 4 à 6 portions.

PURÉE DE POIVRON ROUGE

1	**poivron rouge, rôti et pelé**	**1**
1	**gousse d'ail, hachée**	**1**
1/4 c. à thé	**sel**	**1 ml**
1/4 c. à thé	**sauce au piment fort**	**1 ml**

■ À l'aide du robot culinaire ou du mélangeur, réduire tous les ingrédients en purée bien lisse. Mettre dans un petit bol, couvrir et réfrigérer. *(La purée se conservera ainsi jusqu'à 2 jours.)* Ramener à la température de la pièce avant d'en garnir la soupe. Donne environ 1/2 tasse (125 ml) de purée.

Soupe aux poireaux et à la saucisse

Vous pouvez doubler la recette si vous le désirez et en congeler la moitié.

1/4 t	**beurre**	**60 ml**
2 t	**poireaux tranchés (partie blanche seulement)**	**500 ml**
3/4 t	**carottes en dés**	**175 ml**
3/4 t	**céleri en dés**	**175 ml**
2 c. à tab	**farine**	**30 ml**
4 t	**bouillon de poulet**	**1 L**
2 t	**pommes de terre pelées, en dés**	**500 ml**
1/4 lb	**saucisse polonaise, émincée**	**125 g**
1/2 c. à thé	**sel**	**2 ml**
1/4 c. à thé	**marjolaine séchée**	**1 ml**
	Poivre	

■ Dans une grande casserole, faire fondre le beurre à feu moyen. Y cuire les poireaux, les carottes et le céleri jusqu'à ce qu'ils soient tendres mais non dorés. Ajouter la farine et cuire pendant 2 minutes en brassant constamment.

■ Verser le bouillon de poulet dans la casserole. Ajouter les pommes de terre et amener à ébullition. Réduire le feu et laisser mijoter pendant 15 minutes ou jusqu'à ce que les légumes soient tendres. Ajouter la saucisse, le sel, la marjolaine et du poivre. Laisser mijoter pendant 10 minutes. Donne 6 portions.

COMMENT RÔTIR ET PELER LES POIVRONS

Si vous raffolez des poivrons et désirez vous en régaler à longueur d'année, vous pouvez rôtir et peler les poivrons, puis les faire congeler. Lorsque vous rôtissez des piments forts, portez toujours des gants de caoutchouc et prenez soin de ne pas vous toucher la peau.

- *Faire griller les piments sur le barbecue pendant 15 minutes en les retournant avec des pinces jusqu'à ce qu'ils soient bruns et gonflés. Laisser refroidir, peler et enlever les graines en réservant le jus qui s'écoule des piments. Faire griller les piments au four à 4 po (10 cm) de la source de chaleur en procédant comme sur le barbecue.*
- *Ne rôtir les poivrons rouges et jaunes que dans un plat peu profond, au four préchauffé à 375°F (190°C), pendant 30 minutes, en les retournant une fois ou jusqu'à ce qu'ils soient gonflés et légèrement bruns. Laisser refroidir, peler et enlever les graines en réservant le jus.*
- *Faire congeler les piments ou les poivrons avec leur jus dans des sacs pour congélateur ou des contenants hermétiques.*

Soupe aux tomates avec pesto

Cette soupe est un contraste frappant de couleurs et de saveurs. Si vous préparez le pesto à l'avance, recouvrez-le d'une fine couche d'huile d'olive afin d'éviter qu'il ne se décolore. Il se conservera jusqu'à une semaine au réfrigérateur.

2 c. à tab	**huile d'olive**	**30 ml**
1/3 t	**échalotes hachées**	**75 ml**
8 t	**tomates pelées, épépinées et hachées**	**2 L**
2 c. à thé	**sel**	**10 ml**
	Poivre	
	Pesto (voir recette)	

■ Dans une grande casserole, faire chauffer l'huile à feu moyen. Y faire sauter les échalotes jusqu'à ce qu'elles soient tendres mais non dorées. Ajouter les tomates, le sel et du poivre au goût. Réduire le feu, couvrir et laisser mijoter pendant 10 minutes. Mettre la sauce dans le récipient du robot culinaire et réduire en purée lisse. Servir dans des bols et garnir d'une cuillerée à table de pesto. Donne 6 à 8 portions.

	PESTO	
1 t	**basilic frais**	**250 ml**
1/4 t	**parmesan frais râpé (ou un mélange de parmesan et de romano)**	**60 ml**
1/4 t	**huile d'olive**	**60 ml**
1	**gousse d'ail**	**1**
1 c. à tab	**pignes ou noix de Grenoble hachées**	**15 ml**
1/4 c. à thé	**sel**	**1 ml**

■ Mettre tous les ingrédients du pesto dans le récipient du robot culinaire ou du mélangeur. Hacher le mélange, jusqu'à consistance d'une pâte, en raclant une ou deux fois les parois du bol. Ajouter 1 ou 2 c. à table (15 à 30 ml) d'eau chaude pour obtenir, si désiré, une consistance plus crémeuse. Donne 1/2 tasse (125 ml) de pesto.

Soupe aux boulettes ranchero

Si vous aimez le chili, vous raffolerez de cette soupe. Servez-la avec une salade verte et des tortillas. Vous pouvez remplacer les haricots rouges par des haricots noirs, tel qu'illustré sur la photo.

4 t	**bouillon de boeuf**	**1 L**
1	**boîte (19 oz/540 ml) de tomates, non égouttées**	**1**
2	**petits oignons, hachés**	**2**
1	**gousse d'ail, hachée**	**1**
1 c. à thé	**assaisonnement au chili**	**5 ml**
1/2 c. à thé	**cumin**	**2 ml**
1/3 t	**riz à grain long**	**75 ml**
1	**oeuf**	**1**
1 c. à thé	**origan**	**5 ml**
1/2 c. à thé	**sel**	**2 ml**
1 lb	**boeuf haché**	**500 g**
1	**boîte (19 oz/540 ml) de haricots rouges, non égouttés**	**1**
1/2	**poivron vert et/ou jaune, haché grossièrement**	**1/2**
1	**petite courgette, tranchée**	**1**

■ Dans une grande casserole, mélanger le bouillon, les tomates, un oignon, l'ail, l'assaisonnement au chili et le cumin. Amener à ébullition, réduire le feu et laisser mijoter à couvert pendant 30 minutes.

■ Entre temps, mettre le riz dans un petit bol, couvrir d'eau chaude et laisser tremper pendant 15 minutes.

■ Dans un grand bol, battre l'oeuf avec le second oignon, l'origan et le sel. Incorporer le boeuf en le défaisant avec une cuillère. Égoutter le riz et l'incorporer au boeuf. (La préparation sera humide.) Façonner en boulettes de 1 po (2,5 cm).

■ Ajouter les boulettes et les haricots dans la casserole. Amener à ébullition, réduire le feu, couvrir et laisser mijoter pendant 15 minutes. Incorporer le poivron vert et la courgette, couvrir et laisser mijoter pendant 10 minutes. Rectifier l'assaisonnement si nécessaire. Donne 4 portions.

LES BOULETTES DE VIANDE

Pour obtenir des boulettes de même grosseur, utilisez une cuillère à mesurer. Une mesure de 1 1/2 c. à thé (7 ml) donne des boulettes de 1 po (2,5 cm) et une de 4 c. à thé (20 ml), des boulettes de 1 1/2 po (4 cm). Ou façonnez la préparation en cylindre, coupez en tranches égales et façonnez en boulettes.

Bortsch au chou rouge

Une version bien différente, mais très colorée, du bortsch classique. Pendant l'hiver, apprêtez-le avec des betteraves en boîte.

1	**boîte (14 oz/398 ml) de betteraves entières**	1
2 c. à tab	**beurre**	30 ml
1	**gros oignon, haché fin**	1
1	**gousse d'ail, hachée**	1
1 1/2 t	**chou rouge coupé en lanières**	375 ml
1	**boîte (19 oz/540 ml) de tomates**	1
2 t	**eau**	500 ml
1/4 t	**vinaigre de vin rouge**	60 ml
1	**boîte (10 oz/284 ml) de bouillon de boeuf**	1
1 c. à thé	**sucre**	5 ml
1 c. à thé	**aneth séché**	5 ml
1 c. à thé	**graines de carvi (facultatif)**	5 ml
	Sel et poivre	
	Crème sure (facultatif)	

■ Égoutter les betteraves et réserver le liquide. Hacher les betteraves.

■ Dans une grande casserole épaisse, faire fondre le beurre. Y cuire l'oignon jusqu'à ce qu'il soit tendre. Ajouter l'ail et le chou, et cuire, en brassant, jusqu'à ce que le chou soit tendre. Ajouter les betteraves et le liquide réservé, les tomates, l'eau, le vinaigre, le bouillon, le sucre, l'aneth et les graines de carvi.

■ Couvrir et laisser mijoter pendant environ 30 minutes ou jusqu'à ce que le chou soit très tendre. (Plus la cuisson sera longue, plus le goût de la soupe sera prononcé.) Saler et poivrer. Si désiré, réduire la soupe en purée à l'aide du robot culinaire ou du mélangeur. Servir très chaud et garnir, si désiré, d'une cuillerée de crème sure. Donne environ 6 portions.

SOUPES — TRUCS ET CONSEILS

Une soupe est toujours meilleure si on la fait mijoter plutôt que bouillir. La viande et les légumes sont plus tendres et le bouillon plus clair.

- *Plus les morceaux de viande et de légumes sont petits, plus vite cuisent les soupes.*
- *La plupart des soupes qui tiennent lieu de plats de résistance se conservent pendant cinq jours au réfrigérateur et se congèlent très bien.*
- *Il vaut mieux ne pas trop assaisonner une soupe au moment de sa préparation, car les saveurs s'accentuent lorsqu'on la fait réchauffer.*

Soupe à la citrouille

Les potages à la citrouille ou au potiron se présentent bien dans les coquilles de ces courges évidées. À partir de cette recette de base, vous pouvez préparer deux variantes délicieuses, l'une à l'orange et l'autre au piment.

1/4 t	**beurre**	**60 ml**
1	**gros oignon, haché**	**1**
2	**poireaux, hachés (partie blanche seulement)**	**2**
1	**grosse pomme de terre, pelée, en dés**	**1**
1 t	**citrouille cuite et réduite en purée (ou 3 t/750 ml de citrouille crue, en dés)**	**250 ml**
3 t	**bouillon de poulet**	**750 ml**
1 1/2 t	**crème à 10%**	**375 ml**
	Une pincée de muscade et de cayenne	
	Une pincée de basilic (facultatif)	
	Sel et poivre	
	GARNITURE	
	Ciboulette, oignons verts ou basilic frais haché	

■ Dans une casserole épaisse, faire fondre le beurre. Y cuire l'oignon et les poireaux jusqu'à ce qu'ils soient tendres mais non dorés. Ajouter la pomme de terre et la citrouille. Verser le bouillon de poulet. Amener à ébullition, réduire le feu et laisser mijoter à couvert pendant 20 minutes ou jusqu'à ce que les légumes soient tendres.

■ À l'aide du robot culinaire ou du mélangeur, réduire la préparation en crème jusqu'à la consistance désirée. Remettre dans la casserole. Ajouter plus ou moins de crème selon la consistance désirée. Chauffer à feu doux jusqu'à ce que la soupe soit très chaude, mais ne pas faire bouillir. Ajouter la muscade, le cayenne et, si désiré, le basilic. Saler et poivrer. Parsemer chaque portion de ciboulette hachée. Donne 4 à 6 portions.

VARIANTES

Soupe à la citrouille à l'orange: Ajouter 1/2 tasse (125 ml) de jus d'orange concentré congelé en même temps que le bouillon de poulet. Garnir de ciboulette et de tranches d'orange.

Soupe à la citrouille épicée: Ajouter 1 gousse d'ail hachée à l'oignon et aux poireaux. Ajouter un filet de sauce au piment avec le cayenne, ou un petit morceau de piment chili pendant la cuisson. Remplacer la muscade par du thym séché. Garnir de graines de citrouille grillées ou de pignes légèrement sautées.

Crème de poireaux

Ce potage lisse et crémeux est aussi délicieux chaud que froid ou tiède. On peut y ajouter un peu de carotte râpée ou de courge en purée.

1/4 t	**beurre**	**60 ml**
6	**gros poireaux, hachés (partie blanche seulement)**	**6**
1	**petit oignon, haché**	**1**
5 t	**bouillon de poulet**	**1,25 L**
2 t	**pommes de terre pelées, en dés**	**500 ml**
1/4 c. à thé	**poivre**	**1 ml**
	Sel	
1 t	**crème à 10%**	**250 ml**
1/4 t	**vin blanc**	**60 ml**
	Ciboulette hachée	

■ Dans une grande casserole épaisse, faire fondre le beurre. Y cuire les poireaux et l'oignon à feu doux pendant 20 minutes ou jusqu'à ce qu'ils soient tendres mais non dorés. Ajouter le bouillon de poulet et les pommes de terre, et cuire pendant 20 à 30 minutes ou jusqu'à ce que les pommes de terre soient tendres. Ajouter le poivre et saler.

■ À l'aide du robot culinaire ou du mélangeur, réduire la soupe en crème. Remettre dans la casserole et amener à ébullition. Incorporer la crème et le vin. Réchauffer, mais ne pas faire bouillir. Rectifier l'assaisonnement si nécessaire. Garnir chaque bol de ciboulette hachée. Donne 6 à 8 portions.

ASSAISONNEMENTS

Relevez le goût de vos soupes avec l'un des assaisonnements suivants.

Soupes claires:

- *Un trait de cognac, de xérès, de vin blanc ou rouge;*
- *De la noix de muscade ou de la racine de gingembre fraîchement râpée;*
- *Du jus de citron ou de lime frais pressé;*
- *Du vinaigre de vin blanc ou rouge.*

Soupes crémeuses:

- *Des herbes fraîches ou séchées;*
- *Des épices: graines de coriandre ou de cumin rôties, moulues.*

Soupes aux fruits:

- *De la liqueur ou de l'eau-de-vie de fruit.*

Minestrone

Débordant de légumes, de haricots et de pâtes, cette soupe est idéale les soirs où tous les membres de la famille doivent manger à des heures différentes. Cette recette de minestrone est légère car les légumes ne sont pas sautés dans l'huile.

1/2 lb	**boeuf haché maigre**	**250 g**
1	**gros oignon, en dés**	**1**
1	**carotte, en dés**	**1**
1	**branche de céleri, en dés**	**1**
1	**petite courgette, en dés**	**1**
1	**boîte (14 oz/398 ml) de tomates, non égouttées, hachées**	**1**
1	**pomme de terre, pelée, en dés**	**1**
3	**gousses d'ail, en dés**	**3**
6 t	**eau ou bouillon de poulet**	**1,5 L**
3/4 t	**pâtes à potage**	**175 ml**
1 c. à thé	**origan**	**5 ml**
1 c. à thé	**basilic**	**5 ml**
1	**boîte (19 oz/540 ml) de haricots blancs, égouttés**	**1**
1/2 t	**persil frais haché**	**125 ml**
1/3 t	**parmesan frais râpé**	**75 ml**
	Un filet de sauce au piment fort	
	Sel et poivre	

■ Dans une grande casserole, faire revenir la viande à feu moyen, en la défaisant avec une fourchette, jusqu'à ce qu'elle soit cuite. Enlever le gras de la casserole. Ajouter l'oignon et cuire en brassant pendant 3 minutes.

■ Ajouter la carotte, le céleri, la courgette, les tomates, la pomme de terre et l'ail. Cuire en brassant pendant 3 minutes. Ajouter l'eau et amener à ébullition. Ajouter les pâtes, l'origan et le basilic, et cuire pendant 10 à 12 minutes, jusqu'à ce que les pâtes soient cuites mais fermes et que les légumes soient cuits. Incorporer les haricots blancs, le persil, le parmesan et la sauce piquante, et chauffer. Saler et poivrer. Donne 8 portions.

Crème de pommes de terre et de carottes

La soupe froide aux pommes de terre est toujours appréciée, que ce soit pour un pique-nique ou une réception. Les carottes lui donnent ici de la couleur et un petit goût tout à fait différent.

2 c. à tab	**beurre**	**30 ml**
2	**petits poireaux, hachés (partie blanche seulement)**	**2**
1	**gros oignon, haché**	**1**
1 c. à thé	**thym séché**	**5 ml**
3	**pommes de terre, pelées, en dés**	**3**
2	**grosses carottes, tranchées**	**2**
4 t	**bouillon de poulet**	**1 L**
1 1/2 t	**crème à 10%**	**375 ml**
	Sel et poivre	
	Menthe fraîche hachée	

■ Dans une casserole, faire fondre le beurre à feu moyen. Y cuire les poireaux, l'oignon et le thym pendant environ 5 minutes ou jusqu'à ce que les légumes soient tendres. Ajouter les pommes de terre et les carottes et cuire pendant 3 minutes. Verser le bouillon dans la casserole, couvrir et laisser mijoter pendant environ 30 minutes.

■ À l'aide du robot culinaire ou du mélangeur, réduire la soupe par petites quantités en crème bien lisse. Verser dans un bol. Incorporer graduellement la crème, en ajoutant 1/2 tasse (125 ml) de plus si nécessaire, jusqu'à consistance désirée. Saler et poivrer. Couvrir et réfrigérer pendant environ 4 heures ou jusqu'à ce que la soupe soit bien froide. Rectifier l'assaisonnement si nécessaire et garnir chaque portion de menthe hachée. Donne 6 portions.

Soupe crémeuse aux champignons

En hiver, ce savoureux potage, velouté à souhait, sera apprécié de tous les membres de votre famille.

1/4 t	**beurre**	**60 ml**
1/2 t	**oignon finement haché**	**125 ml**
1	**gousse d'ail finement hachée**	**1**
2 1/2 t	**champignons frais tranchés**	**625 ml**
1/4 t	**farine**	**60 ml**
4 1/2 t	**bouillon de poulet**	**1,125 L**
1	**petite feuille de laurier**	**1**
1/2 c. à thé	**sel**	**2 ml**
1/4 c. à thé	**poivre**	**1 ml**
1 t	**crème à 10%**	**250 ml**
3 c. à tab	**ciboulette finement hachée**	**45 ml**

■ Dans une grande casserole épaisse, faire fondre le beurre à feu moyen. Y cuire l'oignon et l'ail pendant 3 à 4 minutes, jusqu'à ce que l'oignon soit transparent. Ajouter les champignons, bien mélanger et cuire pendant 3 minutes. Incorporer la farine et cuire pendant 2 minutes en brassant.

■ Incorporer graduellement le bouillon en brassant. Ajouter la feuille de laurier, le sel et le poivre. Amener à ébullition. Baisser le feu et laisser mijoter pendant 15 minutes. Enlever la feuille de laurier. Incorporer la crème et bien réchauffer mais ne pas faire bouillir. Rectifier l'assaisonnement si désiré. Garnir de ciboulette hachée. Donne 6 portions.

Minestrone au poulet

Cette soupe consistante et des plus nutritives peut tenir lieu de repas. La cuisson du poulet étant assez longue, vous pouvez préparer le bouillon une journée à l'avance. Vous pouvez aussi congeler la moitié de la recette. En ce cas, ajoutez un peu de bouillon ou d'eau à la soupe lorsque vous la ferez réchauffer, car elle a tendance à épaissir en refroidissant.

1	**poulet à bouillir (5 lb/ 2,2 kg)**	**1**
	Un bouquet garni*	
1 c. à thé	**sel**	**5 ml**
1/2 t	**orge perlé**	**125 ml**
1 t	**tomates en boîte égouttées**	**250 ml**
1 c. à thé	**basilic séché**	**5 ml**
	Sel et poivre	
2 c. à tab	**huile d'olive ou végétale**	**30 ml**
4	**carottes, émincées**	**4**
2	**petites courgettes, en dés**	**2**
1	**gros oignon, haché**	**1**
2	**branches de céleri, émincées**	**2**
2	**gousses d'ail, hachées**	**2**
1 t	**macaronis coupés, fins**	**250 ml**
4 t	**épinards frais déchiquetés et légèrement tassés**	**1 L**
1/4 t	**persil frais haché**	**60 ml**
	Parmesan frais râpé	

■ Dans une grande casserole ou une marmite, mettre le poulet et les abats (sauf le foie) et couvrir de 16 à 20 tasses (4 à 5 L) d'eau froide. Amener à ébullition en écumant. Ajouter le bouquet garni et le sel. Baisser le feu et laisser mijoter, partiellement couvert, pendant environ 2 1/2 heures ou jusqu'à ce que la chair de la cuisse soit tendre.

■ Retirer le poulet de la casserole et laisser tiédir. Jeter le bouquet garni. Passer le bouillon à travers un tamis fin. Dégraisser le bouillon et amener à ébullition. Ajouter l'orge et les tomates en les défaisant avec une fourchette. Ajouter le basilic, du sel et du poivre. Baisser le feu, couvrir et laisser mijoter pendant 10 minutes. Entre temps, dans un grand poêlon, faire chauffer l'huile à feu moyen. Y cuire les carottes, les courgettes, l'oignon, le céleri et l'ail pendant 5 minutes ou jusqu'à ce qu'ils soient tendres. Ajouter au bouillon, couvrir et laisser mijoter pendant 15 minutes. Ajouter les macaronis et laisser mijoter à découvert pendant 5 minutes ou jusqu'à ce qu'ils soient cuits mais fermes.

■ Entre temps, enlever la peau et désosser le poulet. Couper la chair en bouchées et ajouter à la soupe avec les épinards et le persil. Réchauffer et rectifier l'assaisonnement si désiré. (La soupe peut être congelée jusqu'à 4 mois.) Au moment de servir, saupoudrer de parmesan. Donne 8 à 10 portions.

*Couper une branche de céleri en deux. Mettre 1/2 c. à thé (2 ml) de thym séché, 1 feuille de laurier et 1 brin de persil dans l'une des demi-branches et recouvrir de l'autre demi-branche. Attacher avec une ficelle.

Soupe aux filaments d'oeuf

Cette soupe colorée se prépare en un rien de temps.

4 t	**bouillon de poulet**	**1 L**
1/2 c. à thé	**sauce soya**	**2 ml**
1/2 t	**poulet cuit haché**	**125 ml**
1/2 t	**petits pois congelés**	**125 ml**
1/4 t	**oignons verts émincés**	**60 ml**
1	**oeuf, légèrement battu**	**1**

■ Dans une casserole, amener le bouillon et la sauce soya à ébullition. Ajouter le poulet, les pois et les oignons verts. Ramener à ébullition. Retirer du feu et y verser lentement l'oeuf battu en un mince filet continu. Laisser prendre l'oeuf pendant 1 minute. Brasser délicatement avant de servir dans des bols. Donne 4 portions.

Soupe au boeuf et à l'orge

La consistance de ce potage savoureux est assez épaisse. Aussi vous pouvez l'allonger avec du bouillon, de l'eau ou du jus de tomate. Il se congèle et se réchauffe bien. Accompagnez-le de pain de blé ou de biscottes et d'une salade.

1/2 lb	**boeuf haché**	**250 g**
6 t	**eau ou bouillon de légumes**	**1,5 L**
1 t	**lentilles fendues**	**250 ml**
1/4 t	**orge**	**60 ml**
1	**boîte (10 oz/284 ml) de bouillon de boeuf**	**1**
1	**gros oignon, haché**	**1**
1	**gousse d'ail, hachée**	**1**
1	**grosse carotte, en dés**	**1**
1	**grosse branche de céleri, en dés**	**1**
2 t	**tomates cuites ou en boîte, hachées**	**500 ml**
1	**petite feuille de laurier**	**1**
	Une pincée de thym séché	
	Une pincée de basilic séché	
	Sel et poivre	
	Persil frais haché	

■ Dans une grande marmite épaisse, faire dorer légèrement le boeuf en brassant pour le défaire en morceaux. Jeter le gras. Ajouter l'eau, les lentilles, l'orge et le bouillon de boeuf. Amener à ébullition, réduire le feu et laisser mijoter à couvert jusqu'à ce que les lentilles et l'orge soient presque cuits, soit pendant environ 30 minutes.

■ Ajouter l'oignon, l'ail, la carotte, le céleri, les tomates, la feuille de laurier, le thym et le basilic. Laisser mijoter pendant 1 1/2 heure. Retirer la feuille de laurier. Saler et poivrer. Garnir chaque portion de persil haché. Donne environ 12 portions.

Soupe au poulet et aux nouilles à la chinoise

Cette soupe peut servir à elle seule de repas. Donnez-lui une touche de couleur en garnissant chaque bol de quelques lamelles de poivron rouge. Arrosez d'un filet d'huile de sésame juste avant de servir.

1 c. à thé	**huile végétale**	**5 ml**
1	**gousse d'ail, hachée**	**1**
1 c. à thé	**gingembre**	**5 ml**
8 t	**bouillon de poulet**	**2 L**
1/4 lb	**vermicelles ou cheveux d'ange**	**125 g**
2	**poitrines de poulet désossées, sans la peau, émincées**	**2**
1	**boîte (10 oz/284 ml) de châtaignes d'eau, égouttées et tranchées**	**1**
2 t	**germes de haricots mungo (fèves germées) (1/4 lb/125 g)**	**500 ml**
1	**paquet (10 oz/284 g) d'épinards**	**1**
4	**oignons verts, tranchés**	**4**

■ Dans une grande casserole, faire chauffer l'huile à feu moyen-vif et y cuire l'ail et le gingembre, en brassant, pendant 30 secondes ou jusqu'à ce que le mélange soit odorant. Ajouter le bouillon et amener à ébullition; écumer si nécessaire.

■ Briser les vermicelles en trois et les ajouter au bouillon. Cuire pendant 2 à 3 minutes ou jusqu'à ce que les pâtes soient cuites mais fermes. Incorporer le poulet à la soupe et laisser cuire pendant 1 minute. Ajouter les châtaignes d'eau, les germes de haricot et les épinards, et faire cuire pendant 1 minute ou jusqu'à ce que le poulet ait perdu sa teinte rosée à l'intérieur. Saler et poivrer. Garnir chaque portion d'oignons verts tranchés. Donne 4 portions.

BOUILLON ET CONSOMMÉ

Dans les recettes qui requièrent du bouillon de poulet ou de boeuf, vous pouvez utiliser du bouillon maison ou en conserve, ou encore du bouillon concentré en cubes ou en poudre. (Diminuez la quantité des assaisonnements de la recette si vous utilisez du bouillon en cubes ou en poudre car ces types de bouillon sont très salés.)

- *Le bouillon s'obtient en faisant mijoter de l'eau avec de la viande, des os et des légumes, puis en filtrant le liquide. On peut préparer des bouillons avec de la viande, de la volaille, du poisson et des légumes. Il sert de base à de nombreuses soupes et sauces et en relève le goût.*
- *Le consommé possède une saveur plus forte et plus riche que le bouillon. Préparé avec une plus grande quantité de viande et de légumes, le consommé est un bouillon concentré et clarifié.*

Crème de brocoli aux fines herbes

Cette soupe, fort nutritive, peut servir de plat principal. Si vous la servez en entrée, offrez-en de petites portions.

2 c. à tab	**beurre**	**30 ml**
1/4 t	**oignons verts hachés**	**60 ml**
2 c. à tab	**persil frais haché**	**30 ml**
4 t	**brocoli grossièrement haché**	**1 L**
2 t	**bouillon de poulet**	**500 ml**
2 c. à tab	**aneth frais haché**	**30 ml**
1 1/2 c. à thé	**sarriette fraîche (ou 1/2 c. à thé/2 ml de sarriette séchée)**	**7 ml**
8	**petits bouquets de brocoli**	**8**
1 t	**crème à 10%**	**250 ml**
1/2 t	**lait**	**125 ml**
	Sel et poivre	

■ Dans une casserole, faire fondre le beurre à feu moyen-doux. Y cuire les oignons verts et le persil, à couvert, en brassant de temps à autre jusqu'à ce que les oignons soient tendres. Ajouter le brocoli haché, le bouillon, l'aneth et la sarriette. Amener à ébullition et laisser mijoter à découvert pendant 20 minutes. Ajouter les bouquets de brocoli et cuire pendant 5 minutes. Retirer les bouquets de brocoli à l'aide d'une écumoire et réserver.

■ À l'aide du robot culinaire ou du mélangeur, réduire le potage en purée bien lisse. Remettre dans la casserole. Saler et poivrer. Mélanger la crème et le lait, et incorporer à la crème de brocoli. Réchauffer à feu moyen-doux, mais ne pas faire bouillir. Remettre les bouquets de brocoli dans la crème. Donne 4 à 6 portions.

Bouillon de poulet

Ayez toujours sous la main, au réfrigérateur ou au congélateur, de ce riche bouillon de poulet pour préparer vos soupes et vos sauces. Utilisez le poulet cuit dans vos soupes, vos ragoûts et casseroles, ou tout simplement, dans des sandwichs.

1	**poulet (3 lb/ 1,5 kg), coupé en morceaux**	**1**
6 t	**eau (environ)**	**1,5 L**
1	**tranche de racine de gingembre**	**1**
1 c. à thé	**sel**	**5 ml**
2	**oignons verts, hachés**	**2**

■ Dans une grande marmite, mettre tous les ingrédients. Amener à ébullition, baisser le feu et laisser mijoter à découvert, pendant 1 1/2 heure, en enlevant l'écume à la surface de l'eau et en ajoutant de l'eau au besoin de manière à ce que le poulet soit toujours couvert.

■ Laisser tiédir. Retirer le poulet et conserver pour un usage ultérieur.

■ Passer le bouillon à travers un tamis fin et réfrigérer jusqu'à ce que le gras fige à la surface. Enlever le gras. Donne 6 tasses (1,5 L) de bouillon.

Gaspacho minute

Cette version du gaspacho se prépare en un tournemain. À l'heure du lunch, accompagnez ce potage de pain français ou de petits sandwichs.

6	**tomates, pelées, épépinées et hachées**	**6**
1 t	**concombre épépiné et haché ou poivron vert**	**250 ml**
4	**oignons verts, hachés**	**4**
2 c. à tab	**basilic ou persil frais haché**	**30 ml**
2 t	**jus de tomate bien froid**	**500 ml**
1/4 t	**huile d'olive**	**60 ml**
	Sel et poivre	

■ Dans un grand bol en verre, mélanger les tomates, le concombre, les oignons verts et le basilic. Verser le jus de tomate sur les légumes et incorporer l'huile d'olive. Saler et poivrer. Réfrigérer jusqu'à ce que la soupe soit bien froide. Donne 6 portions.

Soupe veloutée aux carottes

Facile à préparer, cette soupe colorée est un véritable régal.

2 c. à tab	**beurre**	**30 ml**
1	**oignon, finement haché**	**1**
6	**carottes moyennes (ou 9 petites), en dés**	**6**
1/4 t	**farine**	**60 ml**
6 t	**bouillon de poulet**	**1,5 L**
1	**feuille de laurier**	**1**
1/2 c. à thé	**sucre**	**2 ml**
1/4 c. à thé	**thym séché**	**1 ml**
2	**brins de persil frais**	**2**
1 t	**lait**	**250 ml**
1/2 t	**crème à 35%**	**125 ml**
3 c. à tab	**persil frais finement haché**	**45 ml**
3 c. à tab	**ciboulette finement hachée**	**45 ml**
	Sel	

■ Dans une grande casserole épaisse, faire fondre le beurre à feu doux. Y cuire l'oignon à couvert pendant 1 minute. Ajouter les carottes et mélanger pour bien les enrober de beurre. Couvrir et cuire pendant 15 minutes en brassant de temps à autre.

■ Incorporer la farine et cuire pendant 2 minutes en brassant. Incorporer graduellement le bouillon. Ajouter la feuille de laurier, le sucre, le thym et le persil. Laisser mijoter à découvert pendant 15 minutes ou jusqu'à ce que le bouillon ait quelque peu réduit. Enlever la feuille de laurier et les brins de persil.

■ Ajouter le lait et la crème, et réchauffer, mais ne pas faire bouillir. Rectifier l'assaisonnement et saler si désiré. Servir dans des bols et parsemer de persil et de ciboulette. Donne 8 portions.

GARNITURES

Pour une présentation soignée, garnissez vos soupes avec:

- *Des fines herbes fraîches hachées: persil, ciboulette, estragon, menthe ou basilic;*
- *Du zeste râpé: de citron, d'orange ou de lime;*
- *Des graines de sésame ou de tournesol rôties, ou des graines de céleri avec les soupes aux pois;*
- *Des noix rôties et hachées;*
- *Du fromage râpé grossièrement ou du parmesan finement râpé;*
- *De la crème sure ou de la crème fouettée;*
- *Des épices: noix de muscade fraîchement râpée, poivre du moulin ou flocons de piment fort.*

Soupe aux légumes dorés

Ce potage sera fort apprécié les jours froids d'automne, car il apportera sur votre table la merveilleuse chaleur des légumes de l'été.

2 c. à tab	**huile végétale**	**30 ml**
1	**oignon, haché**	**1**
2 t	**courge Acorn ou butternut pelée, en julienne**	**500 ml**
1 t	**carottes en julienne**	**250 ml**
1/4 c. à thé	**curcuma**	**1 ml**
4 t	**bouillon de poulet**	**1 L**
1	**feuille de laurier**	**1**
1/4 c. à thé	**thym séché**	**1 ml**
1 t	**maïs**	**250 ml**
	Sel et poivre	
	Brins de thym	

■ Dans une grande casserole, faire chauffer l'huile à feu moyen. Y cuire l'oignon jusqu'à ce qu'il soit tendre. Ajouter la courge, les carottes et le curcuma et cuire jusqu'à ce que les légumes soient uniformément dorés.

■ Ajouter le bouillon, la feuille de laurier et le thym séché. Baisser le feu, couvrir et laisser mijoter pendant 10 minutes. Ajouter le maïs et laisser mijoter pendant 5 minutes. Retirer la feuille de laurier, saler et poivrer. Servir dans des bols et garnir de brins de thym. Donne 6 à 8 portions.

Soupe aux courgettes, aux haricots et aux pâtes

Cette soupe-repas se prépare en un rien de temps. Accompagnez-la de petits pains de blé entier et de bâtonnets de carotte crue.

1 c. à tab	**beurre ou huile végétale**	**15 ml**
1/4 t	**oignon finement haché**	**60 ml**
1	**gousse d'ail, hachée**	**1**
1	**courgette, hachée**	**1**
2 t	**bouillon de poulet**	**500 ml**
1	**boîte (14 oz/398 ml) de tomates, non égouttées, hachées**	**1**
3/4 t	**spaghettini cassés**	**175 ml**
1/2 c. à thé	**basilic séché**	**2 ml**
1	**boîte (14 oz/398 ml) de haricots secs**	**1**
	Sel et poivre	

■ Dans une casserole, faire fondre le beurre à feu moyen-vif. Y faire sauter l'oignon et l'ail pendant 2 minutes ou jusqu'à ce qu'ils soient tendres. Ajouter la courgette, le bouillon de poulet, les tomates, les spaghettini et le basilic. Amener à ébullition et cuire pendant 8 minutes ou jusqu'à ce que les pâtes soient tendres. Ajouter les haricots et cuire pendant 1 minute ou jusqu'à ce que la soupe soit chaude. Saler et poivrer. Donne 4 portions.

Soupe aux légumes dorés ►

Crème de cresson

Le cresson donne à ce potage un goût fin et recherché.

2 c. à tab	**beurre**	**30 ml**
1/2 t	**oignon finement haché**	**125 ml**
1/2 t	**pomme de terre pelée et râpée**	**125 ml**
2 c. à tab	**persil frais haché menu**	**30 ml**
2 t	**cresson haché grossièrement**	**500 ml**
2 t	**bouillon de poulet**	**500 ml**
1 1/2 c. à thé	**marjolaine fraîche (ou 1/2 c. à thé/2 ml de marjolaine séchée)**	**7 ml**
1 t	**crème à 10%**	**250 ml**
	Sel et poivre	

■ Dans une casserole, faire fondre le beurre à feu moyen-doux. Y cuire l'origan, la pomme de terre et le persil à couvert, en brassant de temps à autre, jusqu'à ce que les légumes soient tendres. Ajouter le cresson, le bouillon et la marjolaine, et amener au point d'ébullition à feu vif. Réduire de nouveau le feu à moyen-doux, couvrir et laisser mijoter pendant 30 minutes.

■ À l'aide du robot culinaire ou du mélangeur, réduire le potage en purée bien lisse. Remettre dans la casserole et amener au point d'ébullition. Réduire le feu à moyen-doux et incorporer la crème. Bien réchauffer tout en brassant, mais ne pas faire bouillir. Saler et poivrer. Donne 4 portions.

Soupe du pêcheur

Avec cette soupe, le repas sera prêt en 30 minutes.

1 lb	**filets de morue, parés (frais ou congelés)**	**500 g**
1/4 lb	**lard salé, en dés**	**125 g**
1/2 t	**oignon finement haché**	**125 ml**
1/2 t	**céleri haché (facultatif)**	**125 ml**
2 t	**pommes de terre pelées, coupées en dés**	**500 ml**
2 t	**eau**	**500 ml**
1 c. à thé	**sel**	**5 ml**
	Une pincée de poivre	
2 t	**lait**	**500 ml**

■ Couper chaque filet de morue en 3 ou 4 morceaux. Dans une grande casserole, cuire le lard à feu moyen-vif jusqu'à ce qu'il soit croustillant et bien doré. Réduire le feu à moyen et ajouter l'oignon et le céleri. Cuire jusqu'à ce qu'ils soient tendres. Ajouter les pommes de terre, l'eau, le sel et le poivre. Couvrir et cuire pendant 10 minutes. Ajouter le poisson et laisser mijoter pendant 10 minutes ou jusqu'à ce qu'il se défasse facilement en flocons avec une fourchette. Ajouter le lait et réchauffer, mais ne pas faire bouillir. Rectifier l'assaisonnement si désiré. Donne 6 portions.

Soupe genre goulasch

Du boeuf à ragoût, des légumes et des assaisonnements composent cette délicieuse soupe hivernale. Accompagnez-la de petits pains de blé entier pour un repas complet.

2 c. à tab	**huile végétale**	**30 ml**
1	**oignon, haché**	**1**
1 lb	**boeuf à ragoût désossé, coupé en bouchées**	**500 g**
1	**gousse d'ail, hachée**	**1**
1 c. à tab	**paprika**	**15 ml**
1 c. à thé	**graines de carvi**	**5 ml**
1/2 c. à thé	**sel**	**2 ml**
4 t	**eau chaude**	**1 L**
1	**tomate, pelée, épépinée et hachée**	**1**
1	**poivron vert, épépiné et tranché**	**1**
2	**pommes de terre, pelées et coupées en dés**	**2**
	Persil frais haché	

■ Dans une grande casserole, faire chauffer l'huile à feu moyen-vif. Y cuire l'oignon jusqu'à ce qu'il soit tendre. Ajouter le boeuf et cuire, en brassant, jusqu'à ce qu'il soit doré sur toutes ses faces.

■ Mélanger l'ail, le paprika, les graines de carvi et le sel, et incorporer au boeuf. Remettre la casserole sur le feu et ajouter l'eau. Couvrir et laisser mijoter pendant 1 heure.

■ Ajouter la tomate et le poivron; couvrir et laisser mijoter pendant 30 minutes. Ajouter les pommes de terre et, si désiré, un peu d'eau pour une soupe plus claire. Laisser mijoter à couvert pendant 30 minutes. Rectifier l'assaisonnement si nécessaire. Garnir chaque portion de persil frais. Donne 4 portions.

Lorsque vous utilisez du bouillon en conserve, en cubes ou en poudre dans la préparation d'une soupe, n'assaisonnez celle-ci de sel qu'à la fin de la cuisson.

Soupe aux moules à l'italienne

Les moules sont fort appréciées en hiver et cette soupe est idéale pour un petit souper au coin du feu.

3 lb	**moules**	**1,5 kg**
2 c. à tab	**beurre**	**30 ml**
2 c. à tab	**huile végétale**	**30 ml**
1	**oignon, haché**	**1**
2	**gousses d'ail, hachées**	**2**
1 t	**vin blanc sec ou bouillon de poulet**	**250 ml**
1	**boîte (28 oz/796 ml) de tomates, non égouttées**	**1**
1 c. à tab	**jus de citron**	**15 ml**
1 1/2 c. à thé	**basilic séché**	**7 ml**

■ Bien nettoyer les moules en enlevant les barbes. Jeter les moules qui ne se referment pas. Réserver.

■ Dans une grande casserole épaisse, faire chauffer le beurre et l'huile à feu moyen-vif. Y cuire l'oignon et l'ail pendant 4 minutes ou jusqu'à ce qu'ils soient tendres. Ajouter le vin, les tomates, le jus de citron et le basilic, en défaisant les tomates avec une fourchette. Amener à ébullition. Baisser le feu et laisser mijoter pendant 5 minutes.

■ Ajouter les moules, couvrir et cuire pendant 5 à 7 minutes ou jusqu'à ce que les moules soient ouvertes. Jeter celles qui sont restées fermées. Rectifier l'assaisonnement si désiré. Donne 8 portions.

Crème de poireaux et de petits pois

Servez cette soupe onctueuse et nutritive dans des tasses.

1 lb	**poireaux (partie blanche seulement), hachés grossièrement**	**500 g**
1 t	**petits pois, frais ou congelés**	**250 ml**
1 t	**bouillon de poulet**	**250 ml**
1/4 t	**crème à 10%**	**60 ml**
1 c. à thé	**jus de citron**	**5 ml**
	Sel et poivre	
	GARNITURE	
1/4 t	**yogourt nature**	**60 ml**
1/4 t	**persil frais haché**	**60 ml**
1	**oeuf dur, haché**	**1**

■ Dans une grande casserole à fond épais, mettre les poireaux, les pois et le bouillon. Couvrir et cuire à feu moyen-doux pendant environ 15 minutes ou jusqu'à ce que les légumes soient tendres.

■ À l'aide du robot culinaire ou du mélangeur, réduire le mélange en purée, et remettre dans la casserole. Incorporer la crème et le jus de citron et réchauffer. Saler et poivrer.

■ Servir la soupe dans des tasses et garnir chaque portion d'une cuillerée de yogourt. Parsemer de persil et d'oeuf dur. Donne 4 portions.

Soupe aux moules à l'italienne ►

Soupe au babeurre servie dans des poivrons

Donnez un couteau et une fourchette à vos convives afin qu'ils puissent déguster les poivrons après la soupe crémeuse au babeurre. Choisissez des poivrons plutôt plats, sinon taillez-les soigneusement afin qu'ils reposent bien dans les assiettes.

8	**gros poivrons**	**8**
4 t	**babeurre**	**1 L**
4 t	**yogourt nature**	**1 L**
1 c. à thé	**sel**	**5 ml**
	Poivre	
2 c. à tab	**huile végétale**	**30 ml**
1 c. à tab	**graines de moutarde noire* (ou 2 c. à tab/30 ml de graines de sésame)**	**15 ml**
1/4 t	**échalotes finement hachées**	**60 ml**
2 c. à tab	**racine de gingembre frais hachée finement**	**30 ml**

■ Couper une tranche de 1/2 po (1 cm) à la tête des poivrons, puis tailler les tranches en fines lamelles. Réserver. Retirer les graines et les membranes blanches des poivrons en prenant soin de ne pas percer les poivrons. Réserver.

■ Dans un grand bol, fouetter ensemble le babeurre, le yogourt, le sel et du poivre au goût. Réserver.

■ Dans un poêlon épais, faire chauffer l'huile à feu moyen. Y cuire les graines de moutarde jusqu'à ce qu'elles commencent à éclater (ou les graines de sésame jusqu'à ce qu'elles soient légèrement dorées). Ajouter les échalotes et le gingembre et cuire pendant 2 à 3 minutes jusqu'à ce qu'ils soient ramollis. Incorporer au babeurre, couvrir et réfrigérer jusqu'à ce que la soupe soit bien froide.

■ Servir la soupe dans les poivrons et garnir de lamelles de poivron. Donne environ 8 tasses (2 L) de soupe, assez pour remplir deux fois les poivrons.

*En vente dans les magasins d'alimentation indienne et dans certains supermarchés.

À LA SOUPE!

La soupe est un mets merveilleux: facile, simple, pratique et économique. Et elle est plus savoureuse si on la prépare à l'avance et si on la fait réchauffer. Elle est idéale pour un repas entre amis. Préparez-en quelques-unes et présentez-les dans des soupières chaudes, laissant ainsi chacun se servir.

- *Offrez en entrée des crudités et une trempette pendant que les soupes chauffent tranquillement sur le feu. Accompagnez les soupes d'un assortiment de pains et servez du fromage et des fruits frais pour clore le repas.*

Chaudrée bonne-femme

Le maïs en crème donne une petite touche sucrée à cette soupe de poisson. Tous les membres de votre famille en raffoleront.

5	**tranches de bacon, en dés**	**5**
1	**gros oignon, en dés**	**1**
1	**carotte, en dés**	**1**
1	**branche de céleri, en dés**	**1**
1/2 t	**eau**	**125 ml**
1 lb	**aiglefin, coupé en bouchées**	**500 g**
2 t	**pommes de terre pelées, en dés**	**500 ml**
4 t	**lait**	**1 L**
1	**boîte (14 oz/398 ml) de maïs en crème**	**1**
1 c. à thé	**sel**	**5 ml**
	Poivre	
	Miettes de bacon, ciboulette ou oignons verts hachés (facultatif)	

■ Dans une grande casserole, cuire le bacon jusqu'à ce qu'il soit doré. Jeter l'excès de gras. Ajouter l'oignon, la carotte et le céleri. Cuire jusqu'à ce que les légumes soient tendres. Ajouter l'eau, le poisson et les pommes de terre. Couvrir et laisser mijoter pendant 10 minutes ou jusqu'à ce que le poisson se défasse facilement en flocons avec une fourchette et que les pommes de terre soient tendres. Ajouter le lait, le maïs, le sel et du poivre au goût. Bien réchauffer, mais ne pas faire bouillir. Garnir, si désiré, de miettes de bacon, de ciboulette ou d'oignons verts hachés. Donne 6 portions.

Soupe aux courgettes et aux fines herbes

Ce potage est aussi délicieux servi chaud le soir que froid à l'heure du lunch.

8	**courgettes (4 po/10 cm de long)**	**8**
2 c. à tab	**huile d'olive**	**30 ml**
1	**poireau haché**	**1**
4 t	**bouillon de poulet**	**1 L**
1/2 t	**vin blanc sec ou bouillon de poulet**	**125 ml**
2 c. à tab	**estragon frais haché (ou 2 c. à thé/ 10 ml d'estragon séché)**	**30 ml**
2 c. à tab	**persil frais haché**	**30 ml**
2 c. à tab	**ciboulette fraîche hachée**	**30 ml**
	Zeste de citron râpé	

■ Peler et hacher grossièrement les courgettes. Dans une grande casserole, faire chauffer l'huile à feu moyen et y faire cuire le poireau jusqu'à ce qu'il soit tendre. Ajouter les courgettes, réduire le feu, couvrir et laisser mijoter pendant 10 minutes.

■ Mettre les légumes dans le récipient du mélangeur ou du robot culinaire. Ajouter 1 tasse (250 ml) de bouillon de poulet et réduire en purée.

■ Remettre dans la casserole. Ajouter le reste du bouillon et le vin. Mélanger l'estragon, le persil et la ciboulette, et en ajouter la moitié à la soupe. Réserver le reste des herbes pour la garniture. Couvrir et laisser mijoter pendant 5 minutes.

■ Servir dans des bols et garnir du reste des herbes et de zeste de citron. Donne 8 portions.

Soupe à l'oignon

Cette soupe savoureuse est idéale à l'heure du lunch ou en entrée pour une occasion spéciale. Comme cette recette contient beaucoup de fromage, vous pouvez, si vous le désirez, en réduire la quantité.

1/4 t	**beurre**	**60 ml**
4	**oignons, émincés**	**4**
1/4 t	**farine**	**60 ml**
4 t	**bouillon de boeuf**	**1 L**
1/4 t	**vin blanc sec**	**60 ml**
	Sel et poivre	
4	**tranches de baguette, grillées**	**4**
2 t	**gruyère râpé grossièrement (8 oz/250 g)**	**500 ml**

■ Dans une grande casserole épaisse, faire fondre le beurre. Y cuire les oignons à feu moyen-doux pendant environ 10 minutes ou jusqu'à ce qu'ils soient tendres. Saupoudrer de la farine et cuire en brassant pendant 5 minutes. Ajouter graduellement le bouillon de boeuf et le vin en brassant continuellement. Laisser mijoter pendant 15 minutes. Saler et poivrer.

■ Verser la soupe dans 4 bols à soupe allant au four. Déposer 1 tranche de pain grillé dans chacun. Parsemer de fromage râpé. Faire griller à 3 po (7 cm) de la source de chaleur jusqu'à ce que le fromage soit brun doré et bouillonnant. Donne 4 portions.

CROÛTONS

Les croûtons garnissent à merveille toutes les soupes et chaudrées.

- *Étendre 3 tasses (750 ml) de cubes de pain dans une plaque à rebord. Cuire au four à 300°F (150°C) pendant 10 à 15 minutes.*
- *Dans un grand poêlon, faire fondre 1/3 tasse (75 ml) de beurre. Y ajouter les cubes de pain et brasser pour bien les enrober. Remettre les cubes dans la plaque et cuire pendant 15 minutes ou jusqu'à ce qu'ils soient croustillants et dorés. Laisser refroidir. Donne 3 tasses (750 ml).*
- *Croûtons à l'ail: Ajouter 1 gousse d'ail hachée au beurre fondu.*
- *Croûtons au parmesan: Ajouter 2 c. à table (30 ml) de parmesan râpé au beurre fondu.*
- *Croûtons aux fines herbes: Ajouter 1 c. à thé (5 ml) de persil séché, d'assaisonnement italien ou d'une autre herbe au beurre fondu.*

Soupe aux épinards

Relevée de basilic, d'ail, de noix et de fromage, cette soupe ravira tous les amateurs d'épinards.

6 t	bouillon de poulet	1,5 L
1 t	nouilles fines aux oeufs ou coquilles (environ 2 oz/60 g)	250 ml
2 t	épinards frais hachés	500 ml
1/2 t	persil frais haché	125 ml
1/2 t	feuilles de basilic frais	125 ml
1/4 t	noix de Grenoble ou amandes	60 ml
1/4 t	parmesan frais râpé	60 ml
1	gousse d'ail, hachée	1
1/4 t	huile d'olive	60 ml
	Sel et poivre	

■ Dans une grande casserole, amener à ébullition 5 tasses (1,25 L) du bouillon. Ajouter les nouilles et laisser mijoter à couvert jusqu'à ce que les pâtes soient cuites mais encore fermes. Retirer du feu.

■ Entre temps, à l'aide du mélangeur ou du robot culinaire, réduire en purée les épinards avec le reste de bouillon et le persil. Ajouter le basilic, les noix, le parmesan et l'ail, et actionner l'appareil pendant 1 minute. Incorporer l'huile.

■ Ajouter le mélange aux épinards dans la casserole et bien réchauffer. Saler et poivrer. Servir dans des bols et saupoudrer de parmesan si désiré. Donne 6 portions.

Soupe aux fraises

Cette soupe peut être servie aussi bien comme boisson qu'en entrée légère pour un brunch, ou encore comme dessert, garnie de crème fouettée.

4 t	fraises équeutées	1 L
1 t	nectar de pêche	250 ml
1 c. à tab	kirsch ou eau-de-vie d'abricot	15 ml
	GARNITURE	
	Crème fouettée, fraises tranchées et feuilles de menthe	

■ À l'aide du robot culinaire ou du mélangeur, réduire les fraises en purée bien lisse. Passer à travers un tamis fin pour éliminer les graines. Incorporer le nectar et le kirsch.

■ **Garniture:** Servir la soupe dans des bols refroidis ou des verres. Garnir d'une cuillerée de crème fouettée, d'une tranche de fraise et de feuilles de menthe. Donne 4 portions.

Soupe aux pois avec boulettes de viande

Après une journée passée au grand air, rien de tel qu'un bon potage bien chaud. Accompagnez-le de petits pains croustillants et de pâté.

8 t	**bouillon de poulet**	**2 L**
2 t	**pois fendus (pois verts secs)**	**500 ml**
1 t	**carottes en dés**	**250 ml**
1 t	**pomme de terre pelée, en dés**	**250 ml**
1 t	**céleri en dés avec feuilles**	**250 ml**
1 t	**oignons hachés**	**250 ml**
1/2 c. à thé	**thym séché**	**2 ml**
1/4 c. à thé	**sarriette séchée**	**1 ml**
	Sel et poivre	
	BOULETTES DE VIANDE	
1 lb	**chair à saucisse**	**500 g**
1/4 t	**persil frais haché**	**60 ml**
1/2 c. à thé	**sel**	**2 ml**
1/2 c. à thé	**thym séché**	**2 ml**
4 c. à thé	**huile végétale**	**20 ml**

■ **Boulettes de viande:** Dans un bol, mélanger la chair à saucisse, le persil, le sel et le thym. Façonner en boulettes de 3/4 po (2 cm). Dans une grande poêle à revêtement anti-adhésif, faire chauffer l'huile à feu moyen. Y cuire les boulettes pendant environ 5 minutes, jusqu'à ce qu'elles soient bien dorées. Réserver.

■ Dans une grande casserole épaisse, amener le bouillon à ébullition. Ajouter graduellement les pois fendus de manière à ne pas arrêter l'ébullition. Écumer. Ajouter les boulettes, baisser le feu, couvrir et laisser mijoter pendant 30 minutes ou jusqu'à ce que les pois soient tendres. Ajouter les carottes, la pomme de terre, le céleri, les oignons, le thym et la sarriette. Laisser mijoter à couvert pendant 15 minutes ou jusqu'à ce que les légumes soient tendres. Saler et poivrer. Donne 6 à 8 portions.

Soupe aux concombres et au yogourt

Voici un plat estival tout aussi rafraîchissant qu'une salade.

2	**concombres, pelés, épépinés et hachés**	2
1/2 t	**oignons hachés**	125 ml
1 1/2 t	**yogourt nature**	375 ml
1/2 t	**bouillon de poulet**	125 ml
	Sel et poivre	
	Aneth frais haché	

■ À l'aide du robot culinaire ou du mélangeur, réduire les concombres et les oignons en purée. Incorporer le yogourt et le bouillon. Saler et poivrer. Verser dans un bol, couvrir et réfrigérer jusqu'à ce que la soupe soit bien froide. Parsemer d'aneth haché au moment de servir. Donne 4 portions.

Trempette fiesta

Servez cette sauce épicée chaude avec des crudités, des tortillas ou des croustilles de maïs. Vous pouvez remplacer le fromage Velveeta par du fromage à la crème ramolli.

1 lb	**fromage Velveeta, râpé**	**500 g**
1/2 lb	**cheddar fort, râpé**	**250 g**
4	**grosses tomates, épépinées et finement hachées**	**4**
1	**boîte (4 oz/110 g) de piments jalapeño, égouttés, épépinés et hachés**	**1**
1	**oignon, finement haché**	**1**
4	**gousses d'ail, hachées**	**4**

■ Dans une cocotte d'une capacité de 6 tasses (1,5 L), mélanger les fromages, les tomates, les piments, l'oignon et l'ail. Cuire au four préchauffé à 350°F (180°C) pendant 1 heure ou jusqu'à ce que la préparation soit bouillonnante. Laisser refroidir légèrement et servir. *(La trempette peut être couverte et réfrigérée pendant 2 jours ou congelée pendant 1 mois. Au moment de servir, réchauffer au four à 350°F (180°C) pendant 30 à 35 minutes (ou un peu plus si congelée) jusqu'à ce que la trempette soit bouillonnante.)* Donne environ 4 tasses (1 L).

Bouchées fondantes au poisson

Cette recette est idéale pour les réceptions, car les bouchées peuvent être préparées à l'avance et congelées. De plus, on peut servir les bouchées chaudes, sur des toasts, ou froides, dans des petites tomates évidées.

1 lb	**fromage à la crème**	**500 g**
1 c. à tab	**jus de citron**	**15 ml**
2 c. à thé	**crème à 10%**	**10 ml**
1 c. à thé	**oignon haché fin**	**5 ml**
1/2 c. à thé	**ail haché fin**	**2 ml**
1/4 c. à thé	**sauce Worcestershire**	**1 ml**
1	**boîte (6,5 oz/184 g) de thon, égoutté et défait en flocons**	**1**
1	**boîte (4 oz/113 g) de crevettes, égouttées et hachées**	**1**
1	**boîte (104 g) d'huîtres fumées, égouttées et hachées**	**1**
	Toasts melba ronds, tomates cerises	

■ Dans un bol, mélanger le fromage, le jus de citron, la crème, l'oignon, l'ail et la sauce Worcestershire. Répartir également la préparation dans trois petits bols. Ajouter l'un des trois poissons à chaque bol et bien mélanger chaque préparation.

■ À l'aide d'une poche à douille ou d'une cuillère à thé, déposer la préparation par petits monticules ronds de 1 po (2,5 cm) sur des plaques à pâtisserie. Mettre les bouchées au congélateur jusqu'à ce qu'elles soient fermes. Ranger dans des contenants hermétiques et congeler.

■ Pour servir chaud, déposer les bouchées sur des toasts melba ronds et cuire au four préchauffé à 375°F (190°C) pendant 10 minutes. Pour servir froid, faire dégeler les bouchées et en farcir des tomates cerises évidées. Donne environ 60 bouchées.

Trempette fiesta ►

Pâté de foies de poulet

Servez simplement ce pâté avec des toasts melba. Tous vos invités s'en régaleront. Ce pâté se congèle bien.

1/2 t	**beurre**	**125 ml**
1/2 t	**oignons hachés**	**125 ml**
1/2 t	**pomme pelée et hachée**	**125 ml**
1 lb	**foies de poulet, parés et coupés en deux**	**500 g**
1	**feuille de laurier**	**1**
1 c. à thé	**sel**	**5 ml**
1/2 c. à thé	**poivre**	**2 ml**
1/2 c. à thé	**thym et marjolaine séchés (chacun) (ou 1 c. à thé/5 ml de marjolaine et de thym frais hachés)**	**2 ml**
2 c. à tab	**crème à 35%**	**30 ml**
1/4 t	**beurre, ramolli**	**60 ml**
2 c. à thé	**cognac**	**10 ml**
	Sel et poivre	

■ Dans une poêle à frire, faire fondre la moitié du beurre à feu moyen. Y cuire les oignons pendant 3 minutes. Ajouter la pomme. Cuire jusqu'à ce que les oignons et la pomme soient translucides. Mettre dans la jarre du mélangeur.

■ Mettre le reste du beurre dans la poêle. Faire chauffer jusqu'à ce qu'il mousse (ne pas laisser brunir). Ajouter les foies de poulet, la feuille de laurier, le sel, le poivre, le thym et la marjolaine. Cuire en brassant pendant 6 à 8 minutes ou jusqu'à ce que les foies soient dorés mais encore légèrement rosés à l'intérieur. Retirer la feuille de laurier. Ajouter la préparation dans la jarre du mélangeur et actionner l'appareil jusqu'à ce que la préparation soit onctueuse. Incorporer la crème. (Pour une préparation plus lisse, passer dans un tamis fin.) Laisser refroidir.

■ Ajouter graduellement le beurre à la préparation. Incorporer le cognac. Saler et poivrer.

■ Mettre dans des récipients en pressant et couvrir d'une feuille de papier ciré ou d'une pellicule de plastique en la faisant adhérer au pâté. Réfrigérer pendant au moins 4 heures ou jusqu'à 3 jours. Donne environ 3 tasses (750 ml).

Trempette étagée à la mexicaine

Servez cette trempette épicée avec des craquelins ou des tortillas et garnissez-la, tel qu'illustré sur la photo, de fromage râpé, d'oignons verts, d'olives noires et de tomates disposés en cercles concentriques.

1	**boîte (14 oz/398 ml) de haricots frits**	**1**
1 1/4 t	**crème sure**	**300 ml**
1/4 c. à thé	**sel**	**1 ml**
1/4 c. à thé	**cumin**	**1 ml**
	Un filet de sauce au piment fort	
2	**avocats mûrs**	**2**
1/3 t	**oignon haché fin**	**75 ml**
1 c. à tab	**jus de lime**	**15 ml**
1/4 c. à thé	**flocons de piment fort**	**1 ml**
1/3 t	**oignons verts tranchés**	**75 ml**
1/2 t	**olives noires dénoyautées, tranchées**	**125 ml**
2	**tomates, hachées**	**2**
2 t	**cheddar râpé**	**500 ml**

■ Dans un bol, mélanger les haricots, 1/4 tasse (60 ml) de crème sure, le sel, le cumin et la sauce au piment. Étendre uniformément sur un plateau de 12 po (30 cm) de diamètre et de 1 1/2 po (4 cm) de profondeur.

■ Peler les avocats et retirer le noyau. Dans un bol réduire en purée les avocats avec l'oignon, 1/4 tasse (60 ml) de crème sure, le jus de lime et les flocons de piment. Étendre sur les haricots. Recouvrir avec le reste de la crème sure. Garnir avec les oignons verts, les olives noires, les tomates et le fromage en les parsemant en cercles concentriques. Couvrir et réfrigérer pendant au plus 8 heures. Donne environ 24 portions.

Mousse de saumon

Cette mousse peut être préparée dans n'importe quel type de moule (en couronne, en forme de poisson, etc.) d'une capacité de 6 tasses (1,5 L). Accompagnez-la de pain de seigle noir ou de pain croustillant.

2	sachets de gélatine sans saveur	2
1/2 t	eau	125 ml
3	boîtes (7 3/4 oz/220 g chacune) de saumon, égoutté	3
1 1/2 t	crème sure	375 ml
1/4 t	aneth frais haché	60 ml
1/4 t	jus de citron	60 ml
2 c. à tab	oignon haché fin	30 ml
2 c. à tab	câpres égouttées et hachées	30 ml
1 c. à thé	sel	5 ml
1/2 c. à thé	sauce au piment fort	2 ml
1/4 c. à thé	paprika	1 ml
1 t	crème à 35%, fouettée	250 ml

■ Dans une petite casserole, saupoudrer l'eau de la gélatine. Laisser reposer pendant 5 minutes. Faire chauffer à feu doux jusqu'à ce que la gélatine soit dissoute.

■ À l'aide du mélangeur ou du robot culinaire, mélanger le saumon, la crème sure, l'aneth, le jus de citron, l'oignon, les câpres, le sel, la sauce au piment et le paprika. Ajouter la gélatine et bien mélanger. Verser dans un bol et y incorporer la crème fouettée en pliant.

■ Verser délicatement la préparation dans un moule d'une capacité de 6 tasses (1,5 L). Réfrigérer pendant au moins 1 heure, jusqu'à ce que la mousse soit ferme. *(La mousse peut être conservée au réfrigérateur jusqu'à une semaine.)* Pour démouler, tremper rapidement le fond du moule dans de l'eau chaude et retourner dans une assiette de service. Donne 8 à 10 portions.

Tartelettes à l'artichaut

Tous vos invités raffoleront de ces tartelettes. Servez-les bien chaudes à leur sortie du four, ou laissez-les refroidir et réchauffez-les juste avant de les servir.

2	**pots (6 oz/170 ml chacun) de coeurs d'artichauts marinés**	**2**
1	**oignon, haché fin**	**1**
1	**grosse gousse d'ail, hachée**	**1**
4	**oeufs**	**4**
1/4 t	**chapelure fine**	**60 ml**
1/2 c. à thé	**sel**	**2 ml**
1/4 c. à thé	**origan séché**	**1 ml**
	Un filet de sauce au piment fort	
	Poivre	
2 t	**cheddar fort râpé**	**500 ml**

■ Égoutter les artichauts en réservant 1/4 tasse (60 ml) de la marinade. Couper les artichauts en morceaux de 1/2 po (1 cm) et réserver.

■ Dans une poêle à frire, faire chauffer la marinade réservée. Y cuire l'oignon et l'ail pendant 5 minutes ou jusqu'à ce qu'ils soient tendres.

■ Dans un bol, battre les oeufs. Incorporer l'oignon et l'ail, la chapelure, le sel, l'origan, la sauce au piment et du poivre au goût. Mélanger avec le fromage. Incorporer les artichauts.

■ À l'aide d'une cuillère, verser la préparation dans des moules graissés de 1 3/4 po (4 cm), en les remplissant aux deux tiers. Cuire au four préchauffé à 325°F (160°C) pendant 10 à 15 minutes ou jusqu'à ce que la préparation soit ferme. Donne 36 tartelettes.

Tartinade de fromage aux fruits et aux noix

Si les abricots séchés sont trop secs, couvrez-les d'eau bouillante et laissez-les tremper pendant 15 minutes. Vous pouvez verser cette tartinade dans un bol au lieu d'un moule à tarte. Accompagnez-la de tranches de pomme, de morceaux de poire ou de craquelins.

3 t	**cheddar râpé**	**750 ml**
1/2 lb	**fromage à la crème**	**250 g**
1/4 t	**xérès ou lait**	**60 ml**
1/2 t	**noix de Grenoble grossièrement hachées**	**125 ml**
1/2 t	**raisins secs dorés**	**125 ml**
1/2 t	**abricots séchés hachés**	**125 ml**
1/4 t	**dattes hachées**	**60 ml**

■ À l'aide du robot culinaire, ou manuellement, mélanger le cheddar, le fromage à la crème et le xérès jusqu'à ce que la préparation soit lisse et crémeuse. En utilisant l'interrupteur marche/arrêt du robot, incorporer les autres ingrédients.

■ Tapisser de papier d'aluminium le fond d'un moule à tarte de 8 po (20 cm). Étendre la tartinade, en pressant, dans le moule. Couvrir d'une pellicule de plastique et réfrigérer pendant plusieurs heures.

■ Au moment de servir, enlever la pellicule de plastique. Renverser le moule dans une assiette de service. Soulever le moule et enlever le papier d'aluminium. Donne 10 à 12 portions.

Triangles de pâte phyllo à la ricotta, au jambon et aux épinards

Ces hors-d'oeuvre sont délicieux à l'heure de l'apéro, quelle que soit l'occasion. Dans la garniture, seuls les épinards nécessitent une pré-cuisson.

1	**paquet (1 lb/454 g) de pâte phyllo, dégelée**	
1 t	**beurre, fondu**	**250 ml**
	GARNITURE	
2 t	**épinards frais tassés, cuits, bien essorés et hachés**	**500 ml**
2 t	**fromage ricotta**	**500 ml**
1 1/2 t	**jambon cuit (type Forêt-Noire) haché (8 oz/250 g)**	**375 ml**
1/2 t	**parmesan ou cheddar fort râpé**	**125 ml**
2 c. à thé	**estragon frais haché (ou 1/2 c. à thé/2 ml d'estragon séché)**	**10 ml**
4	**jaunes d'oeufs**	**4**
	Sel et poivre	

■ **Garniture:** Dans un grand bol, mélanger les épinards, la ricotta, le jambon, le parmesan, l'estragon, les jaunes d'oeufs, du sel et du poivre au goût.

■ Déposer une feuille de pâte phyllo sur une surface de travail, en recouvrant le reste de la pâte d'une feuille de papier ciré et d'un linge humide afin qu'elle ne se dessèche pas. Badigeonner légèrement de beurre fondu. Étendre une deuxième feuille de pâte phyllo par-dessus la première et la badigeonner de beurre fondu. À l'aide d'une règle et d'un couteau bien affilé, couper la pâte en bandes de 3 1/2 po (9 cm) de largeur.

■ Déposer une cuillerée à table (15 ml) de garniture à environ 1 po (2,5 cm) de l'extrémité de chaque bande. Plier un coin de la pâte par-dessus la garniture de manière à ce que le bord du bas de la feuille rejoigne celui du côté pour former un triangle. Replier le triangle en avant. Continuer ainsi à plier le triangle de côté, puis en avant, jusqu'à la fin de la bande. Sceller en pressant fermement les bords. Répéter ces opérations avec le reste de la pâte et de la garniture.

■ Disposer les triangles sur des plaques à pâtisserie légèrement graissées. Les badigeonner de beurre fondu. Cuire dans un four préchauffé à 375°F (190°C) pendant 15 à 20 minutes ou jusqu'à ce qu'ils soient gonflés et dorés. Donne environ 50 hors-d'oeuvre.

TRIANGLES DE PÂTE PHYLLO

Vous pouvez préparer les triangles de pâte phyllo farcis à l'avance. En ce cas, ne les badigeonnez pas de beurre. Faites-les congeler en une seule couche sur une plaque non graissée. Rangez-les dans des contenants hermétiques. Disposez-les encore congelés sur une plaque graissée, badigeonnez-les de beurre et faites-les cuire au four à 375°F (190°C) pendant 25 à 35 minutes ou jusqu'à ce qu'ils soient dorés. Les triangles cuits peuvent être réchauffés à 350°F (180°C) pendant 5 à 10 minutes.

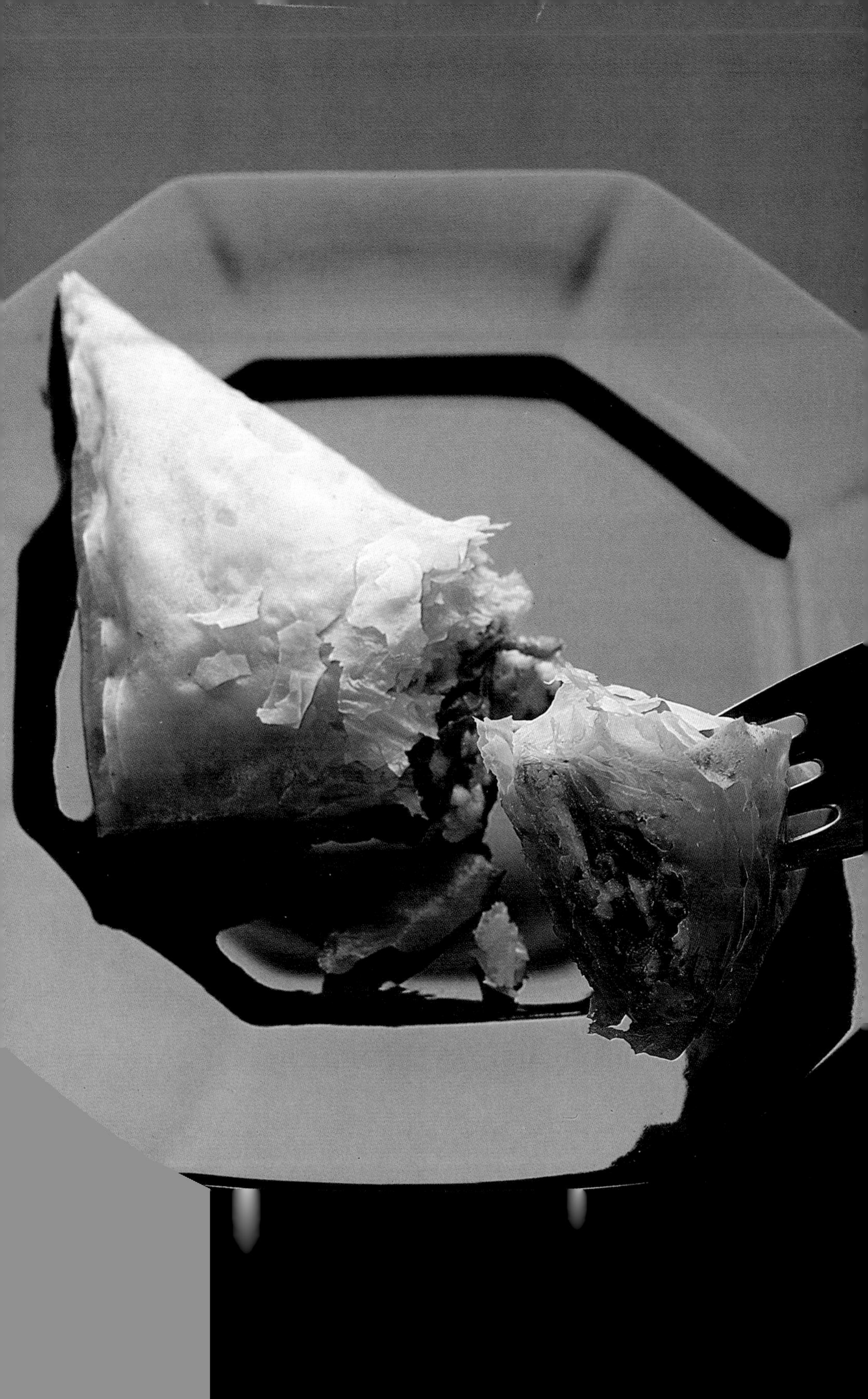

Pâté au micro-ondes

Les pains de viande et les pâtés cuisent mieux au micro-ondes dans un moule à savarin (en couronne). Comme on ne peut pas brasser ce mets durant la cuisson, il est important de tourner le moule à quelques reprises. Vérifiez la cuisson du pâté à plusieurs endroits avec un thermomètre à viande afin de vous assurer qu'il est bien cuit uniformément.

1	**oignon, haché fin**	**1**
1	**gousse d'ail, hachée**	**1**
1 c. à tab	**beurre**	**15 ml**
1/2 lb	**porc haché**	**250 g**
1/2 lb	**veau haché**	**250 g**
1/4 lb	**foie de bouvillon, en petits dés**	**125 g**
1/2 t	**jambon cuit haché grossièrement (3 oz/90 g)**	**125 ml**
1	**oeuf, légèrement battu**	**1**
1 c. à thé	**poivre concassé**	**5 ml**
3/4 c. à thé	**sel**	**4 ml**
1/2 c. à thé	**piment de la Jamaïque**	**2 ml**
1/4 c. à thé	**thym séché**	**1 ml**
6	**tranches de bacon (1/3 lb/ 175 g)**	**6**
3	**feuilles de laurier**	**3**

■ Dans un grand bol, faire cuire l'oignon, l'ail et le beurre à puissance maximale pendant 3 minutes, ou jusqu'à ce que l'oignon soit tendre, en brassant une fois. Ajouter le porc, le veau, le foie, le jambon, l'oeuf et les assaisonnements. Bien mélanger.

■ Tapisser le fond et les parois d'un moule à savarin d'une capacité de 4 à 6 tasses (1 à 1,5 L) avec les tranches de bacon en laissant pendre les extrémités à l'extérieur du moule. (Ou utiliser un moule à tarte de 9 po (23 cm) en renversant un ramequin au centre.) Mettre les feuilles de laurier en dessous du bacon. Étendre la préparation dans le moule, en pressant, et replier les tranches de bacon sur la préparation.

■ Couvrir d'une pellicule de plastique en relevant l'un des coins et cuire à puissance maximale pendant 5 minutes, en tournant une fois. Cuire à puissance moyenne-forte (70%) pendant 4 minutes, en tournant une fois, ou jusqu'à ce qu'un thermomètre à viande inséré à plusieurs endroits indique 170°F (75°C). Laisser reposer pendant 5 minutes. Vider le jus et le réserver. Laisser refroidir le pâté et le jus. Enlever le gras à la surface du jus et réfrigérer.

■ Couvrir et réfrigérer le pâté pendant 12 heures. Démouler dans une assiette de service. Retirer les feuilles de laurier. Badigeonner le pâté avec le jus réservé. Couper en tranches de 1/2 po (1 cm) d'épaisseur. *(Le pâté peut être réfrigéré jusqu'à 4 jours.)* Donne 8 portions.

Mini-quiches au brie et au poivron

Ces tartelettes au goût tout à fait spécial se congèlent facilement. Inscrivez-les au menu de votre prochain brunch ou buffet.

	Pâte brisée pour 2 abaisses	
2 c. à tab	**beurre**	**30 ml**
3/4 t	**poivron rouge haché fin**	**175 ml**
1/2 lb	**brie, en dés**	**250 g**
10	**tranches de bacon, cuites et émiettées**	**10**
3	**oeufs**	**3**
1 1/3 t	**crème à 35%**	**325 ml**
	Sel et cayenne	

■ Sur une surface farinée, étendre la pâte en une fine abaisse et en foncer 36 moules à tartelettes de 2 1/4 po (6 cm). Tapisser de papier d'aluminium et recouvrir de haricots secs. Cuire au four à 375°F (190°C) pendant 10 minutes. Retirer le papier d'aluminium avec les haricots et laisser refroidir.

■ Dans une poêle à frire, faire fondre le beurre et y cuire le poivron rouge jusqu'à ce qu'il soit tendre. Répartir dans les fonds de tartelettes. Garnir du fromage et du bacon.

■ Dans un bol, battre les oeufs avec la crème. Assaisonner avec du sel et du cayenne au goût. Répartir dans les tartelettes. Cuire au four préchauffé à 350°F (180°C) pendant 10 à 15 minutes ou jusqu'à ce que la garniture soit ferme. Servir immédiatement. *(Les tartelettes peuvent être refroidies et congelées dans des contenants hermétiques. Pour les réchauffer, mettre les tartelettes congelées dans un four préchauffé à 375°F (190°C) pendant 10 minutes.)* Donne 36 amuse-gueule.

LES PÂTÉS

À l'origine, les pâtés étaient enrobés de pâte pour leur conserver toute leur saveur et leur moelleux. De nos jours, les pâtés désignent tout autant les préparations traditionnelles à la viande (de texture plus ou moins crémeuse) que les préparations moulées, cuites ou non, à base de poisson, de fruits de mer, de volaille et même de légumes.

Oeufs à la diable

Les oeufs à la diable sont à coup sûr l'un des hors-d'oeuvre préférés de l'été.

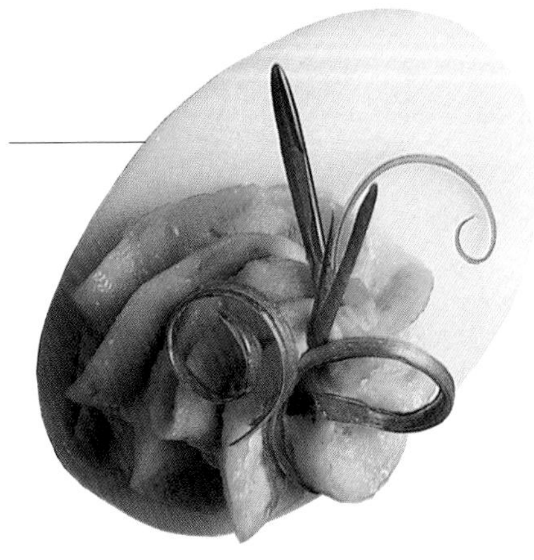

12	oeufs	12
	GARNITURE AU SAUMON	
1	boîte (3 3/4 oz/106 g) de saumon sockeye, égoutté	1
3 c. à tab	mayonnaise	45 ml
1/2 c. à thé	sel	2 ml
	Un filet de sauce au piment fort	
	Oignon vert ou persil frais haché	
	GARNITURE AU PIMENT	
1	piment jalapeño mariné, haché fin	1
4 c. à thé	mayonnaise	20 ml
1 c. à thé	moutarde de Dijon	5 ml
1/2 c. à thé	sel	2 ml
	Brins de thym	

■ Mettre les oeufs en une seule couche dans une casserole. Verser de l'eau froide jusqu'à 1 po (2,5 cm) au-dessus des oeufs. Amener à ébullition et retirer du feu. Couvrir et laisser reposer pendant 25 minutes. Égoutter les oeufs et les laisser refroidir dans de l'eau froide. Écailler les oeufs et les couper en deux.

■ Mettre la moitié des jaunes d'oeufs dans un bol, et l'autre moitié dans un autre bol.

■ **Garniture au saumon:** Ajouter le saumon, la mayonnaise, le sel et la sauce au piment à la moitié des jaunes d'oeufs. Écraser les ingrédients jusqu'à ce que la préparation soit très onctueuse, en ajoutant un peu plus de mayonnaise si nécessaire. Mettre la garniture dans une poche munie d'une douille cannelée et farcir 12 demi-oeufs. Décorer d'oignon vert.

■ **Garniture au piment:** Ajouter le piment, la mayonnaise, la moutarde et le sel à l'autre moitié des jaunes d'oeufs. Écraser les ingrédients jusqu'à ce que la préparation soit très onctueuse, en ajoutant un peu plus de mayonnaise si nécessaire. Mettre la garniture dans une poche munie d'une douille cannelée et farcir le reste des demi-oeufs. Décorer de thym frais. Donne 24 amuse-gueule.

Crevettes farcies

Ces hors-d'oeuvre tout à fait succulents feront un bel effet sur vos tables de réception.

24	**grosses crevettes (1 1/2 lb/750 g)**	**24**
8 t	**eau**	**2 L**
1	**carotte, tranchée**	**1**
1	**branche de céleri, tranchée**	**1**
1	**oignon, tranché**	**1**
1	**tige de persil frais**	**1**
	Sel et poivre	
	GARNITURE	
3/4 lb	**fromage à la crème**	**375 g**
2 c. à tab	**persil frais haché**	**30 ml**
2 c. à tab	**aneth frais haché**	**30 ml**
1 c. à tab	**jus de citron**	**15 ml**
1 c. à tab	**crème sure**	**15 ml**
1	**oignon vert, haché**	**1**
1 c. à thé	**estragon séché**	**5 ml**
	DÉCORATION	
1/2 t	**persil frais haché**	**125 ml**

■ Parer les crevettes en leur laissant la queue pour une présentation plus jolie.

■ Dans une grande casserole, mettre l'eau, la carotte, le céleri, l'oignon, le persil, du sel et du poivre au goût. Amener à ébullition, baisser le feu et laisser mijoter pendant 10 minutes. Passer le liquide au tamis et le remettre dans la casserole. Amener à ébullition et ajouter les crevettes. Cuire pendant 2 à 3 minutes ou jusqu'à ce que les crevettes commencent à se courber et deviennent roses. Retirer les crevettes du liquide et laisser refroidir. (Faire congeler le liquide pour un usage ultérieur: sauces ou soupes à base de poisson.)

■ **Garniture:** À l'aide du robot culinaire, ou manuellement, mélanger le fromage à la crème, le persil, l'aneth, le jus de citron, la crème sure, l'oignon et l'estragon.

■ Faire une incision assez profonde sur le dos des crevettes et farcir de garniture à l'aide d'une poche à douille.

■ Décorer les crevettes en les faisant rouler, côté incisé, dans le persil haché. Disposer dans un plat de service. Donne 24 amuse-gueule.

CANAPÉS DE CONCOMBRE AUX CREVETTES

Voici une recette facile et rapide à préparer. Canneler un concombre anglais non pelé avec les dents d'une fourchette en faisant glisser celles-ci de haut en bas. Couper le concombre en tranches de 1/4 po (5 mm) d'épaisseur. Déposer un peu de mayonnaise sur chaque tranche et garnir d'une petite crevette (cuite et parée) et d'aneth frais.

Gaufrettes au fromage

Pour bien accueillir des visiteurs inattendus, ayez de ces délicieuses bouchées en réserve au congélateur.

2 t	**cheddar orange fort râpé**	**500 ml**
1/2 t	**farine**	**125 ml**
1/4 t	**beurre, ramolli**	**60 ml**

■ Dans un bol, ou à l'aide du robot culinaire, bien mélanger les ingrédients. Couvrir et réfrigérer pendant 30 minutes. Façonner en boulettes de 1 c. à thé (5 ml) chacune. *(Les boulettes peuvent être congelées non cuites; les faire décongeler avant de les cuire.)*

■ Disposer sur des plaques de cuisson à intervalle de 2 po (5 cm). Aplatir avec les dents d'une fourchette. Cuire au four préchauffé à 400°F (200°C) pendant 6 à 8 minutes ou jusqu'à ce qu'elles soient fermes mais non dorées, en prenant soin de ne pas trop les faire cuire. Servir chaud ou laisser refroidir sur une grille. Donne 3 à 4 douzaines.

Mousse de truite fumée

Servez cette mousse avec du pain de seigle noir ou des toasts melba de blé entier. Vous pouvez remplacer la truite fumée par deux boîtes (104 g chacune) d'huîtres fumées, bien égouttées.

1/2 lb	**filets de truite fumée**	**250 g**
2 c. à tab	**aneth frais haché**	**30 ml**
2 c. à tab	**beurre doux**	**30 ml**
2 c. à thé	**jus de citron**	**10 ml**
	Un filet de sauce au piment fort	

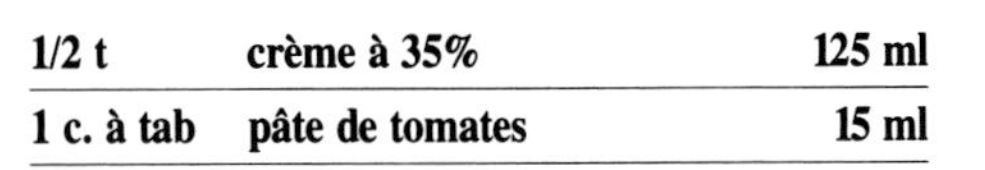

1/2 t	**crème à 35%**	**125 ml**
1 c. à tab	**pâte de tomates**	**15 ml**

■ À l'aide du robot culinaire ou du mélangeur, mélanger la truite, l'aneth, le beurre, le jus de citron et la sauce au piment jusqu'à consistance onctueuse. En laissant l'appareil en marche, incorporer la crème graduellement jusqu'à ce que la préparation soit crémeuse. Ajouter la pâte de tomates et actionner l'appareil juste pour mélanger.

■ Mettre la mousse dans un plat de service. Couvrir et réfrigérer pendant au moins 1 heure ou jusqu'à ce que la mousse soit bien froide. Donne environ 1 1/2 tasse (375 ml).

Rondelles de porc au poivre

Servies chaudes ou à la température de la pièce, ces bouchées, accompagnées d'une trempette, sont délicieuses à l'heure de l'apéro.

3	**filets de porc (environ 3/4 lb/375 g chacun)**	**3**
1/2 t	**chutney à la mangue**	**125 ml**
3 c. à tab	**poivre noir concassé**	**45 ml**
	SAUCE	
1/2 t	**crème sure**	**125 ml**
1/3 t	**chutney à la mangue**	**75 ml**

■ Essuyer les filets de porc avec un linge humide et les déposer sur une feuille de papier ciré. Étendre la moitié du chutney sur les filets de porc et parsemer de la moitié du poivre. Retourner les filets et couvrir du reste de chutney et de poivre.

■ Mettre les filets dans un plat graissé et faire cuire au four préchauffé à 375°F (190°C) pendant 20 minutes; retourner les filets et cuire pendant 20 à 30 minutes ou jusqu'à ce que le thermomètre à viande indique 170°F (75°C). (Ou faire cuire les filets sur le barbecue, sur une grille légèrement huilée à 5 po (12 cm) au-dessus d'une braise vive, ou à puissance maximale sur le barbecue au gaz, pendant 20 à 25 minutes, en les retournant une fois.) Couper les filets en tranches de 3/4 po (2 cm) d'épaisseur.

■ **Sauce:** Dans un petit bol, mélanger la crème sure et le chutney; servir avec le porc. Donne environ 24 bouchées.

Tartinade de fromage aux crevettes

Cette tartinade légèrement piquante est idéale pour les réceptions.

1/2 lb	**fromage à la crème**	**250 g**
1/3 t	**crème sure**	**75 ml**
1/3 t	**ketchup**	**75 ml**
1 c. à thé	**raifort**	**5 ml**
1/2 lb	**petites crevettes cuites, parées**	**250 g**
	Craquelins	

■ À l'aide du robot culinaire, ou manuellement, battre le fromage à la crème avec la crème sure jusqu'à ce que la préparation soit crémeuse. Étendre dans un plat à tarte en verre de 9 po (23 cm). Réfrigérer jusqu'à ce que la préparation soit ferme.

■ Mélanger le ketchup et le raifort, et étendre sur le fromage. Disposer les crevettes sur le dessus. Servir avec des craquelins. Donne 3 tasses (750 ml).

Ailes de poulet au parmesan

Les ailes de poulet peuvent être découpées en trois morceaux. Le bout des ailes peut être utilisé dans la préparation d'un bouillon. La deuxième partie des ailes se grignote avec délice. La troisième partie est celle dont l'os ressemble à une petite baguette. Si vous le désirez, vous pouvez utiliser de petits pilons pour des amuse-gueule plus charnus.

2 lb	**ailes de poulet**	**1 kg**
1 t	**parmesan frais râpé**	**250 ml**
2 c. à tab	**romarin frais haché (ou 2 c. à thé/10 ml de romarin séché)**	**30 ml**
1 c. à thé	**paprika**	**5 ml**
1 t	**yogourt nature**	**250 ml**

■ Découper les ailes aux jointures. Dans un bol, mélanger le parmesan, le romarin et le paprika. Mettre le yogourt dans un autre bol. Tremper les morceaux de poulet d'abord dans le yogourt, puis dans le fromage pour bien les enrober.

■ Disposer les ailes en une seule couche sur une grille graissée déposée sur une plaque à pâtisserie. Cuire au four à 375°F (190°C) pendant environ 20 minutes ou jusqu'à ce que les ailes soient tendres et aient perdu leur teinte rosée à l'intérieur. Donne environ 24 amuse-gueule.

LES CRUDITÉS

Les légumes crus sont délicieux nature ou servis avec une sauce comme la Trempette à l'aneth (p. 56) ou la Trempette fiesta (p. 40).

- *Préparez une variété de légumes et dressez-les dans de la vaisselle fleurie, ou disposez-les simplement dans un grand saladier.*
- *Les légumes sont habituellement servis crus, mais ils peuvent aussi être blanchis pendant quelques minutes puis refroidis dans de l'eau glacée.*
- *Les sauces chaudes peuvent être servies dans un poêlon à fondue. Les sauces froides, quant à elles, peuvent être présentées dans des légumes évidés comme de gros poivrons verts ou de grosses tomates, ou des courgettes et des concombres coupés en deux dans le sens de la longueur.*
- *Les bâtonnets de pain grillé et les craquelins accompagnent bien les crudités servies avec une trempette.*

Maïs éclaté au cari

Vous pourrez vous régaler sans remords de cet amuse-gueule faible en calories.

8 t	maïs éclaté (environ 1/2 t/ 125 ml de maïs à éclater)	2 L
2 c. à tab	beurre	30 ml
1 c. à thé	cari	5 ml
	Une pincée de cayenne	

■ Mettre le maïs éclaté dans un bol. Dans une petite casserole ou une tasse à mesurer allant au micro-ondes, faire fondre le beurre. Incorporer le cari et le cayenne. Arroser le maïs du beurre épicé et mélanger délicatement. Donne 8 tasses (2 L).

Bruschetta au poivron rouge

Ce hors-d'oeuvre italien, du pain croustillant recouvert d'une garniture légère à la tomate et à l'ail, est absolument délicieux. Apprêté avec du poivron rouge, il regorge de saveur.

1/4 t	huile d'olive	60 ml
2	gousses d'ail, hachées	2
1	petit oignon rouge, en dés	1
3	poivrons rouges, pelés, en dés	3
2 c. à tab	basilic ou persil frais haché	30 ml
	Sel et poivre	
1	baguette	1
1/3 t	parmesan frais râpé	75 ml

■ Dans une poêle à frire, faire chauffer la moitié de l'huile à feu moyen. Y cuire l'ail et l'oignon pendant 4 à 5 minutes ou jusqu'à ce qu'ils soient tendres mais non dorés. Ajouter les poivrons rouges et cuire pendant 5 à 8 minutes ou jusqu'à ce que le mélange soit odorant et les poivrons cuits. Incorporer le basilic. Saler et poivrer. *(La préparation peut être couverte et réfrigérée jusqu'à 2 jours.)*

■ Couper le pain en diagonale en tranches de 1 po (2,5 cm) d'épaisseur, de manière à obtenir environ 12 tranches. Disposer en une seule couche sur une plaque à pâtisserie. Badigeonner avec le reste de l'huile et faire griller au four pendant 1 à 2 minutes ou jusqu'à ce que le pain soit croustillant et doré. Retourner les tranches et napper de la préparation aux poivrons. Saupoudrer du parmesan.

■ Cuire au four préchauffé à 400°F (200°C) pendant 10 minutes ou jusqu'à ce que le pain soit bien chaud. Donne 6 portions.

Trempette à l'aneth

Tous les enfants raffoleront de cette trempette avec des crudités.

1 t	**fromage cottage à la crème**	**250 ml**
1/2 t	**crème sure ou yogourt nature**	**125 ml**
2 c. à tab	**oignon vert ou ciboulette finement haché**	**30 ml**
2 c. à tab	**aneth frais haché (ou 2 c. à thé/10 ml d'aneth séché)**	**30 ml**
1 c. à thé	**jus de citron**	**5 ml**
	Sel et poivre	
	Bâtonnets de céleri et de carotte	
	Bouquets de brocoli et de chou-fleur	
	Tomates cerises	

■ À l'aide du robot culinaire ou du mélangeur, mélanger le fromage et la crème sure jusqu'à ce que la trempette soit crémeuse. Mettre dans un bol et incorporer l'oignon vert, l'aneth, le jus de citron, du sel et du poivre. Couvrir et réfrigérer pendant 2 heures ou jusqu'à ce que la trempette soit bien froide. Servir avec les légumes crus. Donne environ 1 1/2 tasse (375 ml).

Houmos

Le pain pita chaud et les légumes crus accompagnent à merveille cette trempette du Moyen-Orient. Facile à préparer, elle est une bonne source de fibres et de protéines. Le tahini (pâte de graines de sésame) est vendu dans les magasins d'aliments naturels.

3	**gousses d'ail**	**3**
1	**boîte (19 oz/540 ml) de pois chiches, égouttés**	**1**
1/4 t	**tahini ou beurre d'arachides**	**60 ml**
3 c. à tab	**jus de citron**	**45 ml**
2 c. à tab	**huile végétale**	**30 ml**
2 c. à tab	**eau**	**30 ml**
1 c. à thé	**cumin**	**5 ml**
1/2 c. à thé	**sel**	**2 ml**

■ À l'aide du robot culinaire, hacher l'ail. Ajouter les pois chiches, le tahini, le jus de citron, l'huile, l'eau, le cumin et le sel. Actionner l'appareil jusqu'à ce que la préparation soit homogène. Rectifier l'assaisonnement si désiré. Mettre dans un bol de service. Donne environ 1 1/2 tasse (375 ml).

PAIN PITA CROUSTILLANT

Ouvrir 2 pains pita (6 po/15 cm). Dans un petit bol, faire fondre au micro-ondes 1/4 tasse (60 ml) de beurre à puissance maximale pendant 40 à 60 secondes. Badigeonner les 4 tranches de pain de beurre fondu. Couper chacune en 8 pointes. Disposer la moitié des pointes de pain, en une seule couche, sur des essuie-tout. Cuire à puissance maximale pendant 2 1/2 à 3 minutes. Cuire le reste du pain de la même façon. Donne 32 bouchées.

Rouleaux de boeuf à l'oignon vert

Ces bouchées aigres-douces sont idéales pour un cocktail ou pour satisfaire une fringale de fin de soirée.

1/2 lb	**bifteck d'aloyau ou de haut de ronde (environ 2 po/5 cm d'épaisseur)**	**250 g**
2 c. à tab	**sauce soya claire**	**30 ml**
2 c. à tab	**huile végétale**	**30 ml**
1 c. à tab	**cassonade tassée**	**15 ml**
1 c. à tab	**vinaigre de riz**	**15 ml**
1 c. à tab	**eau**	**15 ml**
10	**oignons verts**	**10**
2 c. à tab	**vin de riz (facultatif)**	**30 ml**

■ Mettre le bifteck au congélateur jusqu'à ce qu'il soit ferme mais non congelé. Couper en tranches très fines (environ 10) dans le sens contraire des fibres. Mettre les tranches dans un plat peu profond. Mélanger la sauce soya, 1 c. à table (15 ml) d'huile, la cassonade, le vinaigre et l'eau. Verser sur le bifteck. Couvrir et réfrigérer pendant au moins 2 heures ou toute une nuit.

■ Retirer la viande de la marinade en réservant celle-ci. Rouler chaque tranche de viande, dans le sens de la longueur, autour d'un oignon vert, en coupant le bout qui dépasse. Fixer avec un cure-dent.

■ Dans une grande poêle à frire à fond épais, chauffer le reste de l'huile à feu moyen-vif. Y cuire les rouleaux pendant 1 à 2 minutes, en les retournant souvent, ou jusqu'à ce qu'ils soient dorés sur tous les côtés. Retirer les rouleaux de la poêle et les réserver au chaud.

■ Verser la marinade et le vin de riz, si désiré, dans la poêle. Cuire pendant 2 minutes ou jusqu'à ce qu'il ne reste plus que 3 c. à table (45 ml) de liquide. Enlever les cure-dents des rouleaux. Remettre les rouleaux dans la poêle et cuire à feu moyen pendant 1 à 2 minutes, en les retournant souvent, ou jusqu'à ce qu'ils soient glacés. Couper chaque rouleau en morceaux de 1 po (2,5 cm). Donne environ 48 bouchées.

Amuse-gueule croquant aux amandes

Cet amuse-gueule est si délicieux qu'il disparaîtra en un rien de temps. Vous pouvez remplacer les amandes par des arachides grillées à sec non salées.

1	**blanc d'oeuf**	**1**
1 c. à thé	**eau**	**5 ml**
2 t	**amandes (écalées mais non mondées)**	**500 ml**
2 t	**céréales Shreddies**	**500 ml**
1/3 t	**sucre**	**75 ml**
1 c. à thé	**cannelle**	**5 ml**
1 c. à thé	**paprika**	**5 ml**
1/4 c. à thé	**assaisonnement au chili**	**1 ml**

■ Dans un bol, battre le blanc d'oeuf avec l'eau jusqu'à ce qu'il soit mousseux. Ajouter les amandes et les Shreddies et mélanger pour enrober.

■ Mélanger le sucre, la cannelle, le paprika et l'assaisonnement au chili. Ajouter aux amandes et mélanger pour bien enrober. Étendre la préparation dans un plat allant au four de 13 × 9 po (3,5 L). Cuire au four préchauffé à 250°F (120°C) pendant 1 heure, en brassant toutes les 15 minutes. Donne 4 tasses (1 L).

Fromage de chèvre mariné

Mariné dans de l'huile d'olive et des fines herbes, le chèvre est délicieux tartiné sur du pain français. Ayez-en toujours sous la main au réfrigérateur. Pour cette recette, utilisez un chèvre dont la consistance ressemble à celle d'un fromage à la crème ferme. Si vous ne pouvez vous en procurer, vous pouvez remplacer le chèvre par du fromage ricotta.

1 lb	**fromage de chèvre**	**500 g**
1/2 t	**olives noires hachées**	**125 ml**
1 c. à tab	**romarin séché**	**15 ml**
1 c. à tab	**poivre noir en grains**	**15 ml**
2	**échalotes, hachées**	**2**
2	**gousses d'ail, écrasées**	**2**
	Huile d'olive extra-vierge	

■ Couper le fromage en gros cubes et le mettre dans un grand pot ou un grand bocal. Ajouter les olives, le romarin, le poivre, les échalotes et l'ail. Verser de l'huile pour couvrir le tout. Mettre au réfrigérateur pendant au moins 2 jours.

■ Au moment de servir, enlever l'ail et, avec une cuillère, mettre la quantité désirée de fromage, avec des herbes, des olives et de l'huile dans un bol de service. Accompagner de pain. Donne 8 à 12 portions.

Tartinade au corned-beef

Cette tartinade au goût piquant est délicieuse avec des craquelins ou du pain de seigle noir.

1 t	**cheddar râpé (environ 4 oz/125 g)**	**250 ml**
4 oz	**fromage à la crème**	**125 g**
6 oz	**corned-beef, râpé**	**175 g**
1/4 t	**relish sucrée**	**60 ml**
2 c. à thé	**raifort**	**10 ml**
1 c. à thé	**moutarde de Dijon**	**5 ml**
1 c. à thé	**sauce Worcestershire**	**5 ml**
1/4 c. à thé	**zeste de citron râpé**	**1 ml**
1 c. à tab	**jus de citron**	**15 ml**
1/2 t	**persil frais haché**	**125 ml**

■ À l'aide du robot culinaire, ou manuellement, battre ensemble les fromages, le corned-beef, la relish, le raifort, la moutarde, la sauce Worcestershire, le zeste et le jus de citron. Couvrir et réfrigérer pendant 1 heure ou jusqu'à ce que la préparation soit ferme.

■ Façonner en deux boules. *(La tartinade peut être préparée jusqu'à cette étape, enveloppée et congelée. Faire dégeler avant de poursuivre la recette.)* Rouler les boules dans le persil haché pour bien les en enrober. Donne 8 à 10 portions.

Fleurs de saumon fumé sur canapés

Faciles à réaliser, ces hors-d'oeuvre font toujours un très bel effet dans un buffet.

1/2 t	**beurre doux**	**125 ml**
1 c. à tab	**moutarde de Dijon**	**15 ml**
2 c. à tab	**mayonnaise**	**30 ml**
16	**carrés (2 po/5 cm) de pain de seigle noir**	**16**
1 lb	**saumon fumé, en tranches fines**	**500 g**
16	**brins de persil frais**	**16**

■ Mélanger le beurre, la moutarde et la mayonnaise. Tartiner le pain de cette préparation. Couper le saumon en 32 lanières de 4 po × 1 1/2 po (10 cm × 4 cm). Rouler une lanière sur elle-même en un rouleau serré. Enrouler une seconde lanière autour de la première de manière à former une fleur. Faire de même avec les autres lanières. Garnir chaque canapé d'une fleur de saumon et d'un brin de persil. Donne 16 hors-d'oeuvre.

Tartinade de fromage à la dinde

Vous pouvez également servir cette tartinade dans un bol peu profond et la napper d'une fine couche de chutney. Accompagnez-la de craquelins.

1 lb	**fromage à la crème**	**500 g**
1 c. à thé	**sauce Worcestershire**	**5 ml**
1/2 c. à thé	**cari**	**2 ml**
1 1/2 t	**dinde cuite finement hachée**	**375 ml**
1/3 t	**céleri haché fin**	**75 ml**
1/4 t	**persil frais haché fin**	**60 ml**
1 t	**amandes grillées hachées***	**250 ml**

■ À l'aide du robot culinaire, ou manuellement, battre ensemble le fromage à la crème, la sauce Worcestershire et le cari jusqu'à ce que la préparation soit lisse et crémeuse. Incorporer la dinde, le céleri et le persil. Couvrir et réfrigérer jusqu'à ce que la préparation soit ferme. Façonner en un rouleau de 9 po (23 cm). Rouler dans les amandes hachées pour bien enrober. Donne 3 tasses (750 ml).

*Pour griller les amandes, les étendre dans une plaque à pâtisserie et les mettre au four préchauffé à 350°F (180°C) pendant environ 5 minutes ou jusqu'à ce qu'elles soient dorées.

Pâté crémeux au saumon et aux pistaches

Lors d'une réception, servez ce pâté avec des craquelins de riz et du pain français. Vous pouvez également en garnir des feuilles d'endives, des petits choux de pâte ou des blancs d'oeufs durs. Si cela est possible, utilisez de la ricotta extra-crémeuse et égouttez-la au besoin.

1	**boîte (7 1/2 oz/213 g) de saumon sockeye**	1
2 c. à tab	**jus de citron**	30 ml
1/4 c. à thé	**aneth séché**	1 ml
1/4 c. à thé	**poivre**	1 ml
1/2 lb	**fromage ricotta frais**	250 g
2	**oeufs durs**	2
1/4 t	**pistaches grossièrement hachées**	60 ml
	Sel	

■ Égoutter le saumon et retirer les arêtes. À l'aide du robot culinaire ou du mélangeur, mélanger le saumon avec le jus de citron, l'aneth et le poivre. Ajouter le fromage et les oeufs et réduire en purée. Incorporer les pistaches. Saler. Mettre dans un bol de service ou un pot en grès. Couvrir et réfrigérer pendant au plus 3 jours. Donne environ 2 1/2 tasses (625 ml).

Bouchées au feta et aux crevettes

Servez ces petites bouchées de pâte feuilletée, légères et fondantes, à l'heure de l'apéro ou en soirée après le spectacle.

1	**paquet (14 oz/397 g) de pâte feuilletée congelée, dégelée**	1
1 t	**fromage mozzarella râpé**	250 ml
1	**boîte (7 1/2 oz/213 ml) de sauce tomate**	1
1 c. à thé	**origan séché**	5 ml
1/4 lb	**petites crevettes**	125 g
3 oz	**fromage feta**	85 g
1/4 c. à thé	**aneth séché**	1 ml
2 c. à tab	**huile d'olive**	30 ml

■ Sur une surface légèrement farinée, abaisser la pâte en un rectangle de 16 × 11 po (40 × 28 cm). Couper le rectangle en quatre bandes de 11 × 4 po (28 × 10 cm). Mettre sur des plaques à pâtisserie et pincer les bords légèrement. Parsemer du fromage mozzarella et couvrir de la sauce tomate. Parsemer de l'origan. Disposer les crevettes sur la sauce.

■ Rincer le fromage feta à l'eau froide et bien égoutter. Éponger et émietter sur la sauce et les crevettes. Parsemer de l'aneth et arroser de l'huile. Cuire au four préchauffé à 350°F (180°C) pendant 35 minutes ou jusqu'à ce que la pâte soit gonflée et bien dorée. Couper les bandes en travers en lanières de 1 po (2,5 cm) de largeur. Servir chaud. Donne environ 8 portions.

Remerciements

Les personnes suivantes ont créé les recettes de la COLLECTION CULINAIRE COUP DE POUCE: **Elizabeth Baird, Karen Brown, Joanna Burkhard, James Chatto, Diane Clement, David Cohlmeyer, Pam Collacott, Bonnie Baker Cowan, Pierre Dubrulle, Eileen Dwillies, Nancy Enright, Carol Ferguson, Margaret Fraser, Susan Furlan, Anita Goldberg, Barb Holland, Patricia Jamieson, Arlene Lappin, Anne Lindsay, Lispeth Lodge, Mary McGrath, Susan Mendelson, Bernard Meyer, Beth Moffatt, Rose Murray, Iris Raven, Gerry Shikatani, Jill Snider, Kay Spicer, Linda Stephen, Bonnie Stern, Lucy Waverman, Carol White, Ted Whittaker** et **Cynny Willet**.

Photographes: **Fred Bird, Doug Bradshaw, Christopher Campbell, Nino D'Angelo, Frank Grant, Michael Kohn, Suzanne McCormick, Claude Noel, John Stephens** et **Mike Visser**.

Rédaction et production: Hugh Brewster, Susan Barrable, Catherine Fraccaro, Wanda Nowakowska, Sandra L. Hall, Beverley Renahan et Bernice Eisenstein.

Texte français: Marie-Hélène Leblanc.

Index

PROCUREZ-VOUS CES LIVRES À SUCCÈS DE LA COLLECTION *COUP DE POUCE*

Le magazine pratique de la femme moderne

CUISINE SANTÉ

Plus de 150 recettes nutritives et délicieuses qui vous permettront de préparer des repas sains et équilibrés, qui plairont à toute votre famille. Des entrées appétissantes, des petits déjeuners et casse-croûte tonifiants, des salades rafraîchissantes, des plats sans viande nourrissants et des desserts légers et délectables. Ce livre illustré en couleurs contient également des tableaux sur la valeur nutritive de chaque recette, des informations relatives à la santé et à l'alimentation, et des conseils pratiques sur l'achat et la cuisson des aliments. . . .*24,95 $ couverture rigide*

CUISINE MICRO-ONDES

Enfin un livre qui montre comment tirer parti au maximum du micro-ondes. Ce guide complet présente plus de 175 recettes simples et faciles, 10 menus rapides pour des occasions spéciales, l'ABC du micro-ondes, des tableaux et des conseils pratiques. Vous y trouverez tout, des hors-d'oeuvre raffinés aux plats de résistance et aux desserts alléchants. Un livre indispensable si l'on possède un micro-ondes. . . .*29,95 $ couverture rigide*

CUISINE D'ÉTÉ ET RECETTES BARBECUE

Profitez au maximum de la belle saison grâce à ce livre abondamment illustré de merveilleuses photos en couleurs regroupant plus de 175 recettes et 10 menus. Outre des grillades de toutes sortes, vous y trouverez des soupes froides, des salades rafraîchissantes, de savoureux plats d'accompagnement et de superbes desserts. Des informations précises et à jour sur l'équipement et les techniques de cuisson sur le gril font de ce livre un outil complet et essentiel pour la cuisine en plein air. . . .*24,95 $ couverture rigide*

Ces trois livres de la collection *Coup de pouce* sont distribués par Diffulivre et vendus dans les librairies et les grands magasins à rayons. Vous pouvez vous les procurer directement de *Coup de pouce* en envoyant un chèque ou un mandat postal (au nom de *Coup de pouce*) au montant indiqué ci-dessus, plus 3 $ pour les frais d'envoi et de manutention et 7 % de TPS sur le montant total, à: *Coup de pouce*, C.P. 6416, Succursale A, Montréal (Québec), H3C 3L4.